KB178139

# 개띠 아재의 걍생살기

김주원
https://brunch.co.kr/@nextfour
저와 주변 일상의 소소한 이야기와 여러 생각들을 담아냅니다.

발 행 | 2024-06-18
저 자 | 김주원
펴낸이 | 한건희
펴낸곳 | 주식회사 부크크
출판사등록 | 2014.07.15(제2014-16호)
주 소 | 서울 금천구 가산디지털1로 119, A동 305호
전 화 | 1670 - 8316
이메일 | info@bookk.co.kr

ISBN | 979-11-410-9018-0
본 책은 브런치 POD 출판물입니다.
https://brunch.co.kr

# 개띠아재의
# 걍생살기

김주원 지음

# CONTENT

들어가며

"어떤 삶을 살든 그 삶을 응원합니다."

저는 마흔의 나이에 인생의 단맛과 쓴맛을 골고루 맛본 뒤 '걍생살기'로 마음먹었습니다. 삶을 '포기'가 아닌 '흘러가는 대로 살아보자'는 의미로 걍생살기라 정했는데요.

인생에 있어 성공을 했을 때의 도취감보다는 실패했을 때의 좌절감과 이후 조금은 내려놓는 마음이 오히려 앞으로 남은 삶을 살아가는데 더 큰 동기부여가 되더군요.

마음을 내려놓게 되니 작은 것에서 행복을 느끼게 되었고 제 삶의 요소 하나하나가 소중함을 알게 된 것이죠.

현재를 살면서 느끼는 것들을 글로 옮겨 적는 동안 무엇보다 저 스스로에 대해 생각해보게 되었고, 가족, 친구, 그리고 인생 전반에 대한 작지만 소중한 깨달음을 얻게 된 건 덤입니다.

여행은 계획을 짜고 짐을 싸고 목적지로 가는 과정이 가장 행복한 거, 동의

하시나요? 인생도 여행처럼 목적지에 도착해서가 아닌 여행 준비 과정에서 느끼는 설렘처럼 지금 살아가는 이 과정에 집중하고 감사하며 행복을 느껴 보시기 바랍니다.

저의 소소한 경험을 담은 이 글을 저와 함께 보게 되실 독자 여러분, 감사합니다. 그리고 같이 힘냅시다!

– 김 주 원

# 걍생살기

걍생살기로 했습니다.

갓생이 아니라...


나름 치열하게 살아왔다고 생각했지만 40대를 살짝 넘긴 지금, 진지하게
나를 둘러보니 조금은 처참한 상황에 이르러 있었습니다.


직장을 다니면서는 조금 더 성장할 수 있었던 시기에 장사를 한다며 뛰쳐
나왔고 장사를 하면서는 갖가지 풍파에 시달리며 두 번의 장사도전은 이렇
게 막을 내리게 됐네요.


시간의 흐름에 따른 가게의 성장 곡선은 우상향으로 성공을 향해 뻗어 나
갈 줄 알았지만 국제적인 이슈와 그에 대비한 저의 안일한 대처는 결국 가
게 문을 닫는 지경까지 이르게 됐습니다.


코로나 팬데믹 시대에 정성 들여 일군 식당을 프랜차이즈화 해보려고 대출
까지 끌어 쓰게 됐는데 그 대출금은 사업자금이 아닌 생활비로 쓰일 수밖
에 없었고 그 행동 하나가 큰 부메랑이 되어 돌아왔습니다.


매달 갚아 나가야 하는 대출금은 사실 상상을 초월합니다.

하지만 죽으라는 법은 없는 걸까요?

마침 아내는 이 시기에 맞벌이를 시작하게 됐고 경제적으로나 심적으로 큰 안도감을 얻게 됐습니다. 아내가 전하는 위로의 말은 저에게 정말이지 큰 힘이 되었습니다.(매일 업고 다녀도 모자랄 그런 아내인데 아직은 업을 힘이 부족하군요.)

그리고 이 시기에 멘탈을 추스를 수 있는 책들을 많이 읽었고 아침마다 명상을 하며 제 스스로가 절망의 나락으로 빠지는 일은 없었습니다.

이 시기에 읽었던 책 중 '부자의 그릇'이라는 책은 저에게 엄청난 질책과 위로를 동시에 안겨준 책입니다. 책에 나오는 내용이 제 상황과 무척 흡사했던 탓일까요?

주인공은 다니던 은행을 그만두고 친구의 추천으로 주먹밥 가게를 차립니다. 초반에 승승장구하던 사업은 분점을 내고 확장을 해가면서 여러 문제에 부딪히게 되고 그것을 극복하지 못하고 그만 망하고 맙니다. 그러던 중 어떤 귀인을 만나 자신의 그릇에 대해 생각하게 만듭니다. 그리고 바닥으로 내려가 다시 시작하는 주인공... 더욱 자세한 내용은 책을 통해 만나보시길 바랍니다.

아무튼 저는 제 인생을 돌이켜보는 소중한 시기임이 틀림없는 구간을 지나고 있다고 생각합니다. 그리고 이런 생각을 해봅니다.

'수없이 많은 위인들도 나보다 더 한 바닥을 찍고 올라간 사람들이다. 그럼 나도 이런 시기를 겪는데 혹시 나도 큰 인물이 될지도?'

혹시 모르죠. 제가 유명한 사람이 될 수도 있을 거라는 행복한 상상을 하며 이 기나긴 절망의 터널을 웃으며 지나가게 될 지도요.

그런데 일단 지금은 그냥 살아가는 것에 집중하려고 합니다. 매슬로의 5단계 욕구 중 자아실현의 욕구 단계에서 내려와 다시 생존과 안전의 욕구로 들어섰기 때문입니다.

이 시기 제 친구들은 다양한 삶을 살고 있습니다. 힘든 어린 시절을 딛고 지금은 성공해서 잘 사는 친구가 있고, 아무 걱정없이 골프 치러 다니는 친구도 있습니다. 어떤 이유인지는 몰라도 갑작스레 이혼한 친구도 있고, 저처럼 사업에 실패하여 재기를 꿈꾸는 친구도 있고, 평범한 직장생활을 멋지게 버텨가는 친구도 있습니다. 그리고 먼저 하늘나라로 간 친구도 있네요.

이제 이런 친구들과의 비교는 더 이상 하지 않기로 했습니다. 오롯이 제 인생에 집중하기로 했습니다. 30대엔 갓생 사는 것이 목표였지만 이제는 걍 살려고요. 걍생살기죠.

이 방향이 맞다고 한다면 걍생을 살며 우연을 가장한 수많은 인연이 저에게 다시 찾아오리라 확신합니다. 넘치지도 모자라지도 않는 마음의 평정심을 유지하며 물 흐르듯 인생을 맡겨 보려고요.

82년생 개띠 아재의 걍생살기 한 번 들여다 보시죠! 가끔, 아주 가끔씩 들여다 보시는 것을 추천합니다.

메리 크리스마스

*b*

장사를 하던 시절에는 크리스마스 기간이 대목이라 가게 문을 더 오래 열어 뒀었는데요. 이제 장사를 하지 않게 되니 크리스마스 연휴기간에 모처럼 쉬게 되었습니다. 하지만 연말연시에 가족끼리 지낼만한 숙소, 놀 거리, 먹을 거리 전부 상상을 초월하는 가격에 고개를 숙이게 됐네요. 어디 유명한 곳에 놀러 가기에는 형편이 넉넉지 않은 것이 가슴 아팠습니다.

그래도 연휴는 연휴! 우리 가족은 첫날에 양가 부모님을 모시고 시골 분위기 물씬 느껴지는 식당에 가서 함께 식사를 했습니다. 사돈관계가 서먹하지 않고 양가 부모님과 함께 종종 만나 식사를 하는 것을 신기해 하는 친구들도 있더군요. 어찌 보면 사돈 사이는 어색한 관계가 많지 않나 생각할 수 있지만 이런 건 자녀 입장에서 어떻게 행동하는지에 따라 달라질 수 있다고 생각합니다. 운전해 주시는 분들이 많은 덕분에 오랜만에 낮술도 하게 됐고요.

크리스마스 이브에는 장모님의 친정이자 아내의 외가인 울주군 서생면에서 처남 식구와 우리 식구, 장인, 장모님, 이렇게 한데 모여 놀았습니다. 비록 크리스마스 분위기와는 거리가 먼 느낌이었지만 비싼 숙소비를 내지 않아도 되고 아이들이 근처 명산초등학교에서 신나게 노니까 저 역시도 어린 시절로 돌아간 느낌이 들어 기분이 좋았습니다.

참고로 명산초등학교가 규모는 작아도 제법 큰 놀이터와 지붕이 있는 트램 펄린이 설치되어 있어서 정말이지 야외 키즈카페라고 할 만큼 재미있게 놀 수 있었습니다.

누군가의 탄신일에 온 가족이 한데 모여 먹고 마시고 즐기는 것이 오랜만 이라 어색하긴 했지만 이내 그 분위기에 동화되니 참 소소한 듯하면서도 행복하더군요.

모든 것을 내려놓게 된 저는 이제 작은 행복을 하나씩 찾아가는 중입니다. 거창한 건 아닙니다. 그냥 아침마다 눈을 뜰 수 있는 것에도 감사하는 마음 이 들만큼 하루하루가 소중하다는 걸 느끼고 있습니다. 어쩌면 '그냥' 산다 는 것, '평범하게 '산다는 것이 인생의 가장 크고 어려운 미션이 될 수도 있 겠죠.

운명의 흐름에 수동적으로 몸을 맡기는 삶은 아닙니다. 하지만 우선은 하 루하루 주어진 삶을 감사해 하며 살아보려 합니다. 빅터 프랭클은 2차 세계 대전 당시 포로수용소에 수감되어 가족이 죽어가는 모습을 무기력하게 지 켜보며 자신도 언제 죽을지 모르는 상황에서도 '삶의 의미'를 강조했습니 다. 그 삶에 대한 의지야말로 인간이 가혹한 환경에서도 살아남을 수 있었다고...

그리고 자신에게 찾아오는 마법 혹은 운명과도 같은 기회는 꼭 있을 거라고 말합니다.

무언가 의미 있는 하루를 보내려 굳은 결심을 하는 것조차 집착하지 않으려 합니다. 덤덤히, 나에게 주어진 오늘, 선물 같은 내 하루를 소소하지만 행복하게 보내보려 합니다. 이번 크리스마스에는 가족과 함께 보낸 것에 감사하며 행복을 느꼈습니다. 모두들 메리 크리스마스!

# 세월은 빠르고 시간은 느리네

나의 지난 삶을 돌이켜보면 정말 눈 한 번 깜짝하는 순간에 흘러간 것 같았습니다. 영원할 것만 같았던 스무 살 때의 '패기 어린 열정'과 '근거 없는 자신감'은 인생이라는 관문을 하나씩 지날 때마다 비싼 통행료로 지불해버리고 말았습니다.

대출은 돈에만 있는 것도 아님을 깨달았습니다. 잘 마시지도 못하는 술을 마셔대느라 다음 날에 움직이지도 못하게 될 때에는 금과도 같은 내 미래의 시간도 높은 이자를 내고 써버린 것이죠.

그렇게 비싼 대가를 치른 내 인생은 정말이지 빨리 지나가고 있습니다.

반면 직장 생활을 다시 시작하게 되면서 하루하루, 한 시간 한 시간은 정말 더디게 지나가는 것 같습니다. 반복되는 일에 번복되는 일이 겹치니 머리에 김이 날 것 같이 과부하가 걸리는 때가 있었습니다. 하루가 다 지나간 느낌이 들어 문득 시계를 바라보면 겨우 한 시간이 지나있는 느낌을 아시나요?

시간이라는 개념을 어느 누가 제일 처음 만들었는지는 모르지만 나 자신을 기준으로 봐서는 결코 균등하게 내 인생에 배분되어 있지는 않을지도 모른다는 생각이 듭니다.

'몰입'이라는 책에서는 어떤 일에 몰입을 하게 될 경우 시간이 어떻게 흘러가는지도 모른다고 했는데 거기서 큰 희열과 행복을 느낄 수 있다고 합니다. 몰입의 순간을 내가 언제 느껴봤을까? 아마도 학창 시절 사조영웅전이라는 무협소설을 볼 때였나? 그랬을 것입니다.

시간이 더디게 간다는 것은 지금 내 삶이 몰입을 제대로 하고 있지 않다는 의미일까?
인생이 짧다고 느끼는 것은 지난 삶을 돌이켜봤을 때 후회 없는 삶을 살지 못했다는 의미일까?

머릿속이 조금 복잡해집니다. 조금 더 생각을 이어 나가보려 했지만 이내 포기했습니다. 대신 인생과 시간에 대한 생각을 반대로 가져볼까 싶습니다.

비록 그냥 살아보기로 한 삶이지만 '짧은 인생, 돌이켜보면 내 인생 멋지게 산 것이었다'라고 느끼게!

아이의 똥을
제 손으로 받아냈습니다.

며칠 전 회사 퇴근시간이 다 되어갈 무렵 스마트폰을 들여다보니 아내로부터 카톡이 와 있었습니다. 내용인즉슨 첫째 녀석이 배가 아프다고 그날이 내가 좀 더 일찍 마치는 날이니까 병원에 데리고 가보라는 말이었는데요. 저는 걱정되는 마음에 5분 만에 집으로 갔습니다. (직장이 집에서 차로 5분 정도 되는 거리는 정말이지 축복인 듯)

아이는 아파트 입구에 나와있었고 제가 도착하자마자 차에 올라탔습니다. 그러더니 대뜸 병원에서 착용해야 할 마스크도 쥐어 주면서 자기가 아픈 증상을 재잘거리기 시작하더군요.

"배가 아파요, 아빠"
"인사하려고 고개 숙였는데 갈비뼈가 아파요."
"머리도 아파요."

이 외에도 여러 아픈 증상을 말하는데 저는 갈비뼈라는 단어에 꽂혀버렸습니다.

"학교에서 누가 너 때린 적 있었어?"
"네."

"누가?"

"XX가요."

"언제?"

"12월에요."

"뭐 하다가?"

"놀다가요."

지금 갈비뼈가 아픈데 친구들끼리 장난치다 맞은 한 달 전의 이야기가 툭 나와서 그냥 웃음이 나왔습니다. 애가 아프다고 하는데도 웃음이 나오다니 나 같은 놈도 아빠 자격이 있나 싶었습니다.

정말 학교 폭력을 당한 상황이라면 내 태도가 달라졌을지도 모르겠지만 뭐, 애 표정이나 그간의 행실로는 별다른 걱정은 들지 않았습니다. 아무튼 차 안에서 아이를 안심시키며 가는 동안 어느새 어린이 병원에 도달했습니다.

언제 가도 인산인해를 이루는 어린이 병원이었지만 다행히 접수를 하고 곧바로 진찰실에 들어갔습니다. 아이는 의사 선생님이 묻는 질문에 차근차근 대답했고 이 모습이 귀여웠는지 의사 선생님은 대답을 듣는 족족 끅끅 웃으며 다음 질문을 이어갔고 진찰을 했습니다.

뼈에 이상이 있나 싶어 엑스레이도 찍었는데요. 이후 진찰실로 다시 들어가서 엑스레이를 같이 확인해 보니 아이의 가슴팍에 희미한 구름 같은 형체들이 불규칙하게 이어져 있었습니다. 그게 뭔지 몰라 너무나 걱정스러운 마음에 의사 선생님을 쳐다보니 진지한 얼굴로 이렇게 말씀하시더군요.

"배에 똥이 가득 차 있습니다."
"..."

배에 똥이 가득 차 있다는 말에 뼈에 이상이 있는 건 아니라는 생각에 안심을 했지만 의사 선생님은 사뭇 진지했습니다. 이거 변비로 이어지면 큰일 난다고...

그래서 관장을 시도해 보기로 했습니다. 잠시 휴식을 취하도록 만든 병실에서 간호사는 아이를 안심시키며 투명하고 끈적한 약물을 엉덩이 사이로 집어넣었고 저보고 휴지를 쥐어주며 아이의 항문을 굳세게 막고 5분을 버티라더군요.

5분이 지나고 배변을 해야 제대로 효과를 보고 그렇게 나온 변의 상태를 확인해서 아이의 상태를 짐작할 수 있는데, 아이의 반응은 1분 여가 지나자마자 바로 찾아오기 시작했습니다. 온몸을 배배 꼬면서 뭔가가 나올 것 같다고 하는데 저는 간호사의 진지한 당부를 지키기 위해 더욱 휴지를 든 손에 힘을 줬습니다.

아이는 울먹이며 "아빠..."라는 단말마를 지르며 뭔가를 제 손에 선물로 주기 시작했습니다. 깜짝 놀란 저는 곧바로 변기 위에 앉히고 볼 일을 보게 했습니다. 그리고 구토도 시작했습니다. 앞 뒤로 출력이 진행되는 상황이라 저는 어찌할 바를 몰랐습니다. 아이의 상태도 걱정됐지만 저는 일단 샤워부터 간절히 하고 싶더군요.

그나마 아이의 혈색이 돌아오는 게 보였습니다. 관장은 실패로 돌아갔지만 아이가 괜찮다고 하니 저도 안심이 됐습니다. 변비의 위험성을 의사 선생님으로부터 들으며 당분간 아이의 변 상태를 체크해 보라는 말을 듣고 병원을 나왔습니다. 마음이 편해진 건지 속이 편해진 건지 금세 배가 고프다는 아이 손을 잡고 근처 죽 파는 가게로 데리고 가서 쇠고기 야채죽을 사서 집으로 돌아왔습니다.

아기 때 기저귀를 갈아주던 시절 이후로 오랜만에 아이의 똥을 받아줘 봤는데요. 비위가 약하디 약한 제가 무슨 호르몬의 영향인지는 몰라도 맨손으로 내 자식의 똥을 받아냈다는 사실이 좀 웃겼습니다. 많이 컸네 싶다가도 아직은 부모의 도움이 필요한 시기라는 게 참...

얼른 애들 다 키워서 마누라랑 둘이서 손잡고 여행 다니고 싶다고 누군가에게 말하면 자라나는 아이들과 함께 하는 지금 이때가 행복하고 좋은 시기라고 많이들 말씀하십니다. 저 역시 그 말에는 어느 정도 동감은 합니다만 이제 더 이상 똥은 맨 손으로는 받기가 힘들 것 같군요.

# 내 인생 가지치기

곧고 쭉쭉 잘 뻗어 있는 좋은 목재를 생산하기 위해서나 아름다운 꽃과 열매를 맺기 위해 필요한 건 뭘까요? 바로 가지치기입니다. 식물 스스로가 해당 부분을 말려서 떨궈내기도 하지요.

제 인생에도 가지치기를 한 순간들이 있었는데요. 쳐내야 했던 가지의 종류로는 인간관계, 자만심, 실수, 실패 등이었습니다. 인생에서 가장 정점을 찍는 순간에 '나'라는 존재가 완성이 되어 그 인격체가 죽을 때까지 이어질 줄 알았었는데요. 불혹을 넘기면서는 '죽음'이 인생의 완성이자 시작이라는 의견에 동의를 하게 되면서 죽기 직전까지 인생이라는 나무에 생기는 잔가지들을 솎아내야겠다는 생각이 들었습니다.

결국 이렇게 가지치기해야 하는 것들은 쉽게 말해 고통이라고 보면 될까요? 아직은 잘 모르겠습니다. 그런데 가지치기를 하는 것 자체가 고통이더군요. 그럼 고통으로 고통을 솎아내는 것일까 자문해 봅니다.

과거에도 그랬지만 최근에도 '실패'라는 가지를 쳐냈습니다. 앞으로도 무수히 많은 '실패'라는 가지를 쳐내게 될 텐데요. 매번 쳐내는 가지지만 그럴 때마다 따끔한 고통이 온몸에 퍼지는 것은 막을 수가 없더군요. 어쩌겠습니까? 받아들여야죠.

가만히 있으면 중간이라도 간다는 말을 참 많이도 듣고 살았습니다. 그만큼 제가 많이도 나댔다는 말인가 싶기도 한데요. 학습의 힘일지도 모르겠지만 저는 본능적으로 그걸 거부하는가 봅니다. 실패, 참 많이 했죠. 하지만 아직까지는 실패가 두려워 가만히 있는다는 그것이 가장 큰 내 인생의 실패라고 철석같이 믿고 있습니다.

내 인생의 오답노트에 정리되는 것들이 쌓여갈수록 실패를 할 확률은 점점 줄어들지 않을까요? '원칙'이라는 책을 낸 레이 달리오 마저도 수많은 실패를 통해 인생의 원칙을 세운 사람입니다. 스티브 잡스는 자신이 세운 애플에서 쫓겨나기도 했고요. 충무공 이순신은 26세에 처음 무과에 도전했으나 말에서 떨어져 실패하고 훗날 6년 뒤인 32세에 중간 등수로 무과에 급제하게 됐습니다. 에디슨은 말 안 해도 잘 알고 있으리라 생각합니다.

수많은 위인들이 숱한 실패와 역경을 딛고 자신만의 영역을 개척해 나갔고 이름을 역사에 남겼습니다. 하지만 저는 이런 거창한 사람들처럼 되려는 것은 아닙니다. 내 인생, 성공하면 좋은 거고 실패를 한다면 다시 가지치기를 하면 그뿐인 것이죠.

남들과의 비교는 금물이겠죠? 나는 파란색 꽃을 피웠는데 옆에 있는 빨간

색 꽃이 더 예뻐 보인다고 내 파란 꽃을 빨간색으로 물들이는 바보 같은 짓은 하지 않으렵니다. 그저 내 파란 꽃이 활짝 필 수 있도록 때가 되면 열심히 물을 주고 가지치기 정도만 해줘도 충분하지 않을까요?

참 많이도 걸었던 하루

원래 저희는 차가 2대여서 아내랑 저는 볼 일이 있으면 각자 차를 이용했습니다. 하지만 불의의 사고로 1대를 폐차하게 된 이후로는 남은 1대로 아내와 번갈아가면서 타고 있습니다. 아내는 재택근무를 해서 평소에는 제가 대부분 차를 끌고 나가는데요. 아내가 볼 일이 있어 차를 타야 할 때면 저는 직장까지 걸어가곤 합니다.

집에서 직장까지는 차로 5분 거리인데요. 아마 2~3킬로 정도 되는 거리 같습니다. 마침 오늘, 아내가 차를 끌고 나갈 일이 생겨서 저는 조금 일찍 집에서 나와 걷기 시작했습니다.

이른 아침, 차가운 바람이 코와 귀를 매섭게 스쳐 지나갈 때 '에이, 그냥 출근하는 직원 차에 얻어 타고 갈까?'라는 생각이 들었지만 혼자 걷는 이 시간이 왠지 나쁘지는 않더군요. 걸어가면서 요즘 한창 듣고 있는 오디오북 '삼국지'도 꽤나 많이 들을 수 있어 좋았습니다.

술이 식기 전에 적장 화웅의 목을 베고 온 관우의 이야기를 뒤로하고 회사에 도착했습니다. 회사 일은 별다를 게 없지만 오늘따라 회사 안에서도 좀 많이 걸었네요. 공기가 잘 통하지 않는 안전화를 하루종일 신고 있어서 그런지 발냄새가 꼬릿꼬릿 해질 때쯤 마쳤습니다.

퇴근할 때 직장 동료가 차로 태워주겠다고 했지만 정중히 사양하고 저는 집까지 걸어갔습니다. 분명히 일하느라 피곤했는데 이상하게도 출근보다 퇴근 때 걸음걸이가 더 빨라지더군요. 오며 가며 같은 거리였지만 참... 출퇴근 기분에 따라 시간이 5분 넘게 차이가 나니까 웃음이 납니다.

장사를 할 땐 하루 천 보도 걸을까 말까 했는데 오늘은 만 보 조금 넘게 걸었더군요. 누군가에겐 만 보쯤이야 하겠지만 저에게는 만 보 걷기가 쉬운 일은 아니었습니다. 그래도 좋은 건, 회사까지 가는 시간 동안 오디오북을 길게 들을 수 있었다는 점과 집으로 오는 시간 동안 여러 생각들을 하며 올 수 있었다는 점입니다.

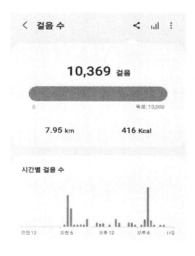

생각이라고 해봤자 별 시답잖은 것들 뿐이었지만 몽상가인 저로서는 혼자서 생각하는 시간이 생겼다는 것 자체로도 행복하더군요. 아내가 차를 탈일이 가끔 생겨서 앞으로도 일주일에 하루 정도는 걸어서 출퇴근할 것 같습니다. 이제 그럴 때를 대비해서 들을만한 오디오북도 많이 골라놓고 발이 편한 운동화도 마련해야겠습니다.

# 딸과의 데이트

별다른 계획이 없었던 주말이었습니다. 아내는 친구들과의 점심 식사 모임이 있어 아침 일찍 부산 해운대로 떠났습니다. 저는 모처럼 아침 8시 넘어까지 잠을 잤습니다.

평소 통영 연화도에 지내시는 장인어른은 저희 아이들이 보고 싶어 몇 주간 저희와 같이 지내셨는데요. 불현듯 통영에 가보셔야겠다고 하셔서 일어나자마자 장인어른을 창원버스터미널에 모셔다 드리고 집에 다시 돌아왔습니다.

집에 도착하니 아침과 점심 사이의 어중간한 시간이었는데요. 아이 둘을 데리고 일단은 밖으로 나왔습니다. 첫째인 아들 녀석이 태권도 1품 심사를 앞두고 있어서 주말인데도 태권도 도장에 연습하러 보내고 나니 저와 둘째인 딸아이만 덩그러니 남게 되었습니다.

그래서 모처럼 부녀지간 둘이서 손을 꼭 잡고 동네를 걸었습니다. 우리 동네는 크고 작은 공원이 곳곳에 있는데요. 그래서인지 동네 자체가 촌구석이긴 해도 산책하기 좋은 곳입니다. 어느 공원 놀이터에 이르러 딸과 저는 술래잡기 놀이를 했습니다. 당연히 딸이 술래였을 때 저는 절대 안 잡혀주었습니다. 저는 그런 놈입니다.

숨이 차서 둘이서 벤치에 앉아 있는데 어떤 꼬마 애가 킥보드를 타고 오더니 초코송이 과자 하나를 제 딸 손에 쥐어주고 쑥스러운 표정을 지으며 떠나갔습니다. 초코송이에 무슨 독약이 발라져 있을지도 모른다는 아빠라면 당연히 신경 쓰일법한 생각을 잠시 하는 동안 딸아이는 아무렇지 않게 입에 집어넣더군요.

같은 아파트에 살며 알고 지내는 한 가족이 우리 근처를 지나가면서 저와 딸아이에게 반갑게 인사를 했습니다. 아주머니는 저 혼자 아이를 데리고 다니는 걸 보며 옆에 있던 남편에게 좀 보고 배우라고 하더군요. 하지만 정작 저는 그런 말 하지 마라며 무덤덤하게 대답했습니다. 제가 먼저 친구 만나러 갔다면 와이프가 애들 데리고 나왔을 거라고요.

저희는 그렇습니다. 아내가 음식을 하면 제가 설거지를 하고 제가 요리를 하면 아내가 설거지를 하는 뭐 그런 불문율을 갖고 있는 거죠. 아내가 친구 만나러 가면 제가 아이들을 보는 거고, 제가 친구를 만나러 가면 아내가 아이들을 보는 거고요. 아이들을 봐주시는 분들이 계시면 그제야 비로소 둘이서 영화나 한 편 보던지 근처 투다리에서 맥주 한 잔 걸치는 정도입니다.

공원에서 이래저래 질리도록 놀다 보니 딸아이가 조금 심심해하더군요. 갑자기 무서운 이야기를 해달라길래 타고나기를 스토리텔링에 젬병으로 태어난 저로서는 책을 읽어주는 게 더 낫겠다 싶어 근처 도서관으로 향했습니다.

어린이 열람실에 들어가 조용히 신발장 한 칸에 제 신발이랑 딸아이 신발을 포개어 놓고 무서울법한 그림책을 하나 골랐습니다. 그러고서 푹신한 쿠션이 있는 곳에 자리 잡고 앉아서 책을 속삭이듯 읽어주기 시작했습니다. 그나마 어린이 열람실이라 적당한 소음에 편승해 속삭이듯 읽어줬는데요. 딸아이가 무서운 이야기를 흥미진진하게 듣고 있길래 나름 연기도 해가며 읽어줬습니다.

다시 첫째 아이가 태권도 연습을 마칠 때가 되어 조용히 도서관을 빠져나왔습니다. 둘째는 뭐가 그리도 신이 났는지 계속 옆에서 재잘재잘 거리더군요. 이래서 다들 딸바보가 되나 봅니다. 그 모습이 너무 귀여워서 미칠뻔했습니다. 물론 제 눈에 안경이겠지만요.

태권도 도장 입구 옆에 숨어서 첫째 녀석이 나올 때 놀래켜주는 걸 끝으로 해지기 전 하루를 마무리 지었습니다. 집에 와서 아이들을 씻기고 나니 친구들을 만나러 갔던 아내가 돌아왔습니다.

아이를 데리고 하루종일 걷다 보니 저는 잠시 소파와 한 몸이 되어 뻗어버렸습니다. 아이들이 소파 위로 점프를 하며 제 배를 밟고 지나갔지만 맞받아처줄 힘이 남아있지 않아서 저는 그냥 그렇게 하루를 마무리 지었습니다. 다음엔 아이들과 걸어서 어디까지 갈 수 있을지 시험해 봐야겠습니다.

# 친구와의 밤낚시

얼마 전 친한 친구랑 카톡을 주고받다가 만난 지도 오래된 것 같은데 주말에 한 번 시간 맞춰서 만나자는 이야기가 나왔습니다. 하지만 우리 둘 다 처자식이 있는 40대 가장입니다. 주말 낮에 친구를 만나기에는 제약이 너무나 많았습니다.

우선 제 주변 친구들 거의 대부분이 주말 낮에 보기가 힘듭니다. 아이들과 어디 가야 하거나 약속이 없더라도 와이프 눈치가 보인다는 것이죠. 저 역시 마찬가지입니다. 그래서 야구를 좋아하는 또 다른 친구와는 한 달에 한두 번 정도 일요일 아침 6시에 만나서 캐치볼을 하고 오전 9시가 되기 전에 집으로 들어갑니다. 아이들이 깨면 그때부터 아이들과의 시간을 가져야 하기 때문이죠.

이번에 만나자고 한 친구는 아이들이 잘 때 밤에 볼락 낚시를 간다는군요. 낚시... 제가 초밥집 장사를 6년간 했지만 낚시는 솔직히 별로 좋아하지 않습니다. 그래도 이때가 아니면 친구 얼굴 보기가 힘들다는 것을 알기에 나도 같이 가자고 했습니다.

아이들이 잠들면 저한테 연락을 주기로 했습니다. 그사이 저는 아내에게 친구랑 낚시 다녀온다는 허락을 받아냈고요. 밤 11시가 조금 넘은 시각, 그 친구로부터 출발하자는 연락이 왔습니다. 자기한테 장비가 다 있으니 몸만 오라더군요. 그래도 혹시 몰라 저는 최대한 옷을 두껍게 입고 근처 편의점에 들러 샌드위치를 사서 그 친구 집으로 차를 끌고 갔습니다.

친구 집 근처 공터에 주차를 하고 친구 차에 올라탔습니다. 여러 후보지들 중 거제로 가자는 친구의 말에 '아... 좀 멀리 가네?' 싶었는데 대략 1시간 조금 넘게 걸려서 생각보다 빨리 목적지에 도착했습니다.

자정이 조금 넘었을까? 주변은 칠흑같이 어두웠습니다. 차에서 내리자마자 낚시 짐을 챙겼는데 추위 때문에 옷을 굉장히 두껍게 입은 터라 제 몸이 뒤뚱거렸습니다. 친구는 익숙한 듯 바리바리 짐을 싸들고 앞장섰고 저는 친구 꽁무니를 졸졸 따라갔습니다.

방파제가 있는 곳에는 이미 다른 분들이 와서 낚시를 하고 계셔서 우리는 반대편 갯바위로 갔습니다. 날쌘 몸놀림으로 절벽 같은 갯바위를 요령껏 잘 오르는 친구를 보니 무척 부러웠습니다. '염소같이 잘 타는군.' 이러면서 저는 무거운 몸을 이끌고 낑낑대며 따라 올라갔습니다. 마치 영화 시실리 2km에서 임창정 님과 우현 님이 애드립으로 웃음을 줬던 그 장면처럼 말이죠.

친구가 특정 포인트에 다다랐을 때 짐을 풀었습니다. 저는 친구가 세팅해 주는 낚싯대로 어설프게나마 캐스팅(낚싯대를 휘둘러 던짐)을 했습니다. 친구도 다른 곳에 자리 잡고 부서지는 파도를 바라보며 익숙한 듯 제가 던 진 것보다 훨씬 더 멀리 미끼를 던졌습니다.

한 시간,

두 시간...

추위에 덜덜 떨어가며 쉬지 않고 던졌건만 그렇게 기다리던 입질은 없었습니다. 안 그래도 흥미가 없던 낚시였는데 입질마저 없으니 저는 좀이 쑤셔 오기 시작했습니다. 대신 친구와 부서지는 파도를 바라보며, 생각보다 많이 떠 있는 별들을 바라보며 이런저런 이야기는 많이 했습니다.

낚시가 취미가 될 수밖에 없는 환경인 통영에서 태어나 자라다 보니 자연스럽게 그 친구는 낚시를 줄곧 해왔었는데 최근에는 답답한 마음을 달래려는 목적으로 밤낚시를 하는 것 같았습니다. 본인 집에서는 이러저러한 상황인데 우리 집 상황은 어떠냐고 묻길래 별반 다를 게 없다고 하니 뭔가 동질감을 느끼면서 안도를 하는 눈치였습니다.

아이 둘을 키우는 집에서 아빠로서 그리고 한 여자의 남편으로서 제 역할을 하고 있는가에 대한 의구심이 들었었나 봅니다. 또한 한창 말을 듣지 않는 아이들 때문에 스트레스도 이만저만이 아닌 거 같더군요. 그런 스트레스를 풀려고 낚시를 하는 거였는데 입질이 아예 없다니... 더 스트레스가 쌓였겠죠.

장소도 이래저래 옮겨봤지만 친구와 제가 손에 쥔 거라고는 어린 볼락 1마리씩이었습니다. 둘 다 10cm가 될락말락 하는 크기여서 잡자마자 놓아주었습니다. 그나마 입질 한 번이라도 느꼈으니 저는 됐다 싶었는데 친구는 왕복 2만 원이나 하는 거가대교 통행료가 아까워 본전 뽑고 싶다고 차를 타고 다른 곳으로 이동하자고 했습니다. 그때가 새벽 4시 반쯤이었으니 제 눈이 이미 풀릴 대로 풀려 있었습니다.

차로 20여 분을 달려 도착한 곳은 파도가 잔잔하게 치는 바다가 보이는 한 어촌 마을이었습니다. 저는 조수석에서 그만 곯아떨어져버렸고 친구는 혼자 1시간 여를 잔잔한 바다와 씨름을 하고 돌아왔습니다. 결과는 허탕.

아쉬워하는 친구 입에 샌드위치를 구겨 넣어주고 에너지 드링크를 다 마신 뒤 우리는 해가 뜨기 직전에 복귀를 했습니다. 갯바위를 오를 때 어디에 걸렸는지 제 점퍼는 찢어져 있더군요. 한 벌 밖에 없는 두꺼운 구스다운이었는데... 그래도 이렇게 친구와 오랫동안 같이 있으면서 이야기를 나눈 것도 굉장히 오랜만이라 좋았습니다. 대신 낚시는 저랑은 안 맞다는 것이 다시 한번 증명이 됐고 다음번에는 커피숍에서 만날 것을 다짐했습니다.

낚시를 하고 온 뒤 저는 점심때까지 옴짝달싹 못하고 제 방에서 뻗어버렸습니다. 마침 아이들도 늦잠을 자서 다행이다 싶었습니다. 평소라면 어딜 갈까 고민이 되는 일요일 오후였는데 이 날 만큼은 모두가 집에서 뒹굴뒹굴 거렸습니다.

아이들도 어딜 가야만 좋아할 줄 알았는데 집에서 뒹굴거리며 게으름을 피우는 것을 좋아하더군요. 뭘 하든 엄마, 아빠와 함께하니까 좋아하는 거였을까요? 아무튼 저는 모처럼 일요일에 늘어지게 자고 먹고 뒹굴거렸습니다. 행복했습니다.

# 한 시간 남았네.

## 삶을 대하는 자세

일을 하다 보면 지루한 일을 할 때가 있습니다. 그러면 시간은 정말 더디게 가죠. 회사에서는 구성원들 대부분이 비슷한 일을 하기 때문에 쉬는 시간에 커피 한 잔 마시면서 이구동성으로 시간 안 간다는 말을 많이 하곤 합니다.

"아, 오늘 너무 지겹다."
"점심 식사 시간까지 아직 한 시간 넘게 남았어요."
"아직 퇴근 시간이 6시간이나 넘게 남았다는 말이야?"

긍정적인 사람도 살짝 부정적인 쪽으로 흔들릴 법할 만큼, 지겨움은 절대적인 시간보다 상대적으로 더디게 흘러가도록 느끼게 뇌를 조종하나 봅니다.

긍정적인 사람과 부정적인 사람을 비교할 때 물이 반쯤 들어있는 컵을 예로 많이 드는 걸 보셨죠? 긍정적인 사람은 '아직 컵에 물이 반이나 남았네?'라 생각하고 부정적인 사람은 '컵에 물이 반 밖에 없구나!'라고요.

세상 풍파에 시달리다 보니 이제 저는 그런 긍정과 부정의 한가운데 그 어디쯤(그래도 사람인지라 감정의 기복이 있는 만큼 정도의 차이는 있습니다만)에서 감정의 변화가 별로 일어나지 않더군요.


'아, 컵에 물이 있네.'


딱 이 정도랄까요?


그래서 시간이 안 간다고 주변에서 푸념을 해도 그냥 그러려니 하게 됩니다. 그냥 지루한 일을 하고 있으면 머릿속에서 제 나름의 플레이리스트가 재생이 됩니다. 다음은 최근의 제 머릿속 플레이리스트입니다.


1. 오아시스 – Don't look back in anger
2. 서태지 – 시대유감(에스파가 리메이크해서 어찌나 반갑던지)
3. 핑크 플로이드 – Another brick in the wall
4. 트러블 메이커 – 트러블 메이커(이상하게도 일하면서 휘파람만 불라치면 이 노래가 튀어나옵니다.)
5. 닐 영 – Down by the river


뭐, 이거 말고도 수십 곡이 머릿속에서 재생되는데요. 심지어 90년대 홍콩 영화 OST(중경삼림 같은...)까지 흥얼거리기도 합니다.

퇴근 한 시간 전에도 ′아직 한 시간이나 남았어?′, ′벌써 한 시간밖에 안 남았네?′가 아니라 ′음, 한 시간 남았군.′의 마음이 생깁니다. 그렇게 그저 제할 일을 하고 나면 한 시간이 지나가 있더군요.

나이 마흔이 넘어서 삶을 대하는 자세도 자연스럽게 이와 비슷하게 바뀐 것 같습니다. 그래서 마흔을 불혹이라고 하는가 봅니다. 부정보다는 긍정이 좋을 테지만 저는 제 앞에 일어나는 일들을 있는 그대로를 받아들이는 마음이 더 좋은 것 같습니다.

힘들다 생각하면 힘든 일이 눈앞에 닥치게 되고 좋은 일만 생각하면 좋은 일이 생긴다는 말도 어느 정도 공감은 합니다만 힘들 때 힘들다 말도 못 하면 조금 억울한 마음이 들지 않나요?

그냥 힘들 때 힘들다 한 마디하고 한숨 한 번 크게 쉬고 그 상황을 벗어나기 위한 계획을 세워서 탈출하면 그 뿐이라는 생각으로 저는 지금의 상황을 극복해 나가고 있습니다. 좋은 일이 생긴다면 역시 기뻐하고 즐기면 되는 거고요.

끝이 보일 것 같지 않은 터널도 언젠가는 출구가 나올 테고 얼마나 길고 어두울지 모르는 또 다른 터널도 눈앞에 계속 나타났다 지나가리란 걸 인지하고 있다면 삶을 대하는 자세도 조금은 마음 편하게 받아들이게 되지 않을까 합니다.

지금은 퇴근하고 집에 왔는데 운동하러 체육관에 가야겠습니다. 음, 퇴근한 시간 남았네요. 모두들 행복하고 즐거운 주말 보내세요.

# 로우킥이 그렇게 아픈가요?

b

저는 브런치에서 연재중인 글에도 종종 언급했듯이 일주일에 이틀 정도 킥복싱 체육관에 나갑니다. 작년까지는 매일 다니다가 이젠 여러 이유 때문에 화요일과 목요일 이렇게 운동을 하고 오는데요. 가끔 주변 사람들이 킥복싱에 대해 궁금한지 물어봅니다.

"로우킥이 그렇게 아파?"
"왜 굳이 돈을 내고 맞으러 가니?"
"스트레스 풀려고 가냐?"

질문도 다양합니다. 그중 로우킥에 대해 말해볼까 합니다. 다양한 발차기에 특화된 태권도와 같은 무술에 비해 킥복싱의 킥은 단조롭습니다. 로우킥, 미들킥, 하이킥 거기에 카프킥 정도가 다라고 할 수 있습니다.

그중 로우킥은 킥복싱에서 가장 많은 빈도로 사용되는데요. 단조로운 공격이지만 허벅지에 한 번 제대로 꽂히면 그날은 체육관을 기어서 나가야 할 정도로 위력이 대단합니다.

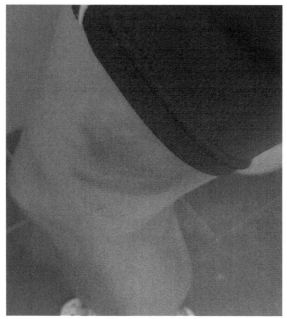
로우킥을 맞아 멍이 든 허벅지

체육관 첫날의 기억을 잊을 수가 없는데요. 1시간 내내 로우킥을 맞고는 일주일을 체육관에 나갈 수가 없었습니다. 걷는 것조차 힘들었고 다리에 멍도 쉽게 사라지지 않더군요.

단조롭기 그지없는 발차기 하나가 상대방의 공격을 견제하는 도구로, 내회심의 일격으로, 상대방과의 거리를 벌려놓는 기회로 쓰입니다.

내 삶에도 로우킥과 같은 단순하지만 강력한 나만의 인생 무기가 있을까요? 아직은 확신하기 어렵지만 그나마 꾸준하게 하는 건 글쓰기 밖에 없는 것 같네요.

로우킥처럼 단순한 기술은 누구나 쓸 수 있습니다. 글도 누구나 쓸 수 있네요. 그리고 조금만 잘 다듬으면 자신만의 무기가 되는 것도 공통점이라면 공통점일 수 있겠습니다.

상대방으로부터 로우킥을 맞으면 아프고 멍이 듭니다. 다듬어지지 않은 글쓰기도 피드백을 받을 땐 가슴이 아플 만큼 쓴소리도 듣게 됩니다. 비슷하죠?

그래도 단순하지만 강력한 기술임에는 틀림없습니다. 제가 아직은 세상을 감동시킬만한 글이 아닌, 내면의 아픔을 드러내고 회복하기 위해 글을 쓰고 있지만요. 알 속 병아리처럼 언젠가는 부리로 쪼아가며 안에서 밖으로 세상 빛을 보게 될 날을 기다리며 꾸준히 써내려 가리라 다짐해 봅니다.

# 쓰러짐
## 미주신경성 실신

*b*

얼마전에 저는 인생 처음으로 실신을 경험했습니다.

4시간을 자고 새벽에 일어나 친구와 3시간 동안 캐치볼을 했었는데요. 돌아와서 간단한 식사를 마친 후에 피곤해서 잠시 눈을 붙였습니다. 그 사이에 아내와 아이들은 밖에 나갔습니다.

잠시 자고 일어나서 배가 아파 화장실로 갔는데요. 조금 오래 앉아 있었는지 다리가 저리더군요. 그래서 허리를 숙여 일어나려는 순간, 마치 암막커튼이 제 눈앞을 가리듯 시야가 새까매지기 시작하더군요. 공포심이 들려고 하던 찰나의 마지막 기억이었습니다.

얼마나 지났을까? 시간 개념도 애매할 정도로 아득함을 느끼고 있던 때 '쓱싹쓱싹'하는 소리가 제 귀에 맴돌기 시작했습니다. '무슨 소리지?' 하는 그 순간! 뭔가 잘못되고 있음을 직감적으로 느끼며 정신이 조금씩 돌아오더군요.

'쓱싹쓱싹...'

이 소리는 제가 정신이 돌아와도 계속 들렸습니다. 감각이 돌아오는 느낌이 들자 억누르던 공포감이 마구 밀려오기 시작했습니다. 제 얼굴이 화장실 바닥에 대고 계속 비벼대고 있었던 것입니다. (아마 경련이었나 봅니다.)

그 쓱싹거리던 소리의 출처가 밝혀지자마자 온몸에 감각이 돌아와 벌떡 일어나 거울을 쳐다봤습니다. 코와 미간 사이에 큰 흉터가 생겼고 그 틈으로 피가 흘러나오는 것이 아닙니까...

급하게 휴지로 틀어막고 피가 흥건한 바닥을 닦아냈습니다. 그리곤 밖에 있는 아내에게 전화했습니다. 자초지종을 설명하고 지혈을 하는 동안 아내는 급하게 집으로 왔습니다.

아이들은 집에 놔둔 채 둘이서 부랴부랴 근처 병원에 갔습니다. 그저 외상에 대한 응급 처치만 하면 되는 줄 알았던 의사는 실신을 했다는 말에 난색을 표하며 대학 병원에 가보라고 하더군요.

그렇게 동네 병원에서 나와 20~30여 분을 달려 대학 병원 응급실에 도착했습니다. 혈압을 재고 어떤 검사를 받아야 할 지에 대한 설명을 들은 후, 환자복으로 갈아입었습니다.

파상풍 예방접종과 채혈 후 수액을 맞았습니다. 이후 CT촬영과 X레이 촬영을 마친 후 자리에 누웠습니다. 조금 기다리니 의사 선생님이 오더군요.

"더 자세한 검사는 MRI를 해봐야 알겠지만 오늘은 검사가 힘들고요. CT 결과 머리 쪽에는 이상이 없어 보입니다. 아마도 미주신경성 실신 같아 보입니다."

유튜브로 검색해 보니 이런 증상을 겪은 사람들이 의외로 많아 보였습니다. 수면부족, 혈압, 스트레스, 장시간 화장실 변기에 앉아 있을 경우, 뜨거운 물로 샤워할 때에도 이런 증상이 나타나는데 저는 이런 실신을 처음 겪었던 거였죠.

안정을 취한 후에 얼마 안 있어 혈액검사 결과도 수치가 정상이라는 말을 듣고는 병원을 나왔습니다. 코 쪽에 난 상처는 봉합이 필요한데 성형외과에서 하는 거라 다음 날 오라고 하더군요. 일단은 응급처치만 받고 나왔습니다. 직장 상사에게 연락해서 월요일엔 연차를 쓰기로 했습니다.

그날 밤 저는 조금 일찍 잠자리에 들었습니다. 하지만 쉽사리 잠은 오질 않더군요. 여러 책과 미디어를 접하며 죽음에 대해 어느 정도 덤덤한 기분을 유지하고 살고 있다 생각했는데, 실제로 쓰러져보니 엄청난 두려움이 밀려왔습니다.

삶의 끈을 꼭 잡으려는 생각보다는 언제든 갑자기 죽을 수도 있다는 불확실성이 두려웠던 것이죠. 내 눈앞의 세상은 언제든 검은 암막커튼으로 가려진 뒤 사라질 수 있다는 생각을 떨쳐내고 마음을 진정시키려고 많은 애를 썼습니다.

그렇게 푸닥거리를 하고 난 뒤에 제 마음은 심란했는데 제 몸은 속절없이 먹을 것을 찾더군요. 짜장면이나 해물찜이 먹고 싶었습니다. 하지만 아이들이 집에서 햄버거를 간절히 찾길래 저 역시 어쩔 수 없이 같은 메뉴를 골랐습니다.

오랜만에 아픈 사람 먹고 싶은 거 좀 사주지...

미주신경성 실신은 누구에게나 랜덤으로 생길 수 있다는 글을 봤습니다. 제가 걱정돼서 연락 오는 친구들에게 저는 오히려 걔들 보고 몸 관리 잘하라고 잔소리했습니다.

저도 그렇고 친구들도 그렇고 내 몸 하나 망가지는 것도 무섭지만 그보다 내 눈앞에 있는 처자식이 나로 인해 망가지는 게 더 억장이 무너지는 일이기 때문입니다.

모두들, 건강할 때 건강 챙기시기를 바랍니다.

과락

b

\* 합격 기준 : 매 과목 40점 이상, 평균 60점 이상

어디서 많이 본 것 같지 않나요? 경우에 따라 다를 수는 있겠지만 대부분의 자격증 필기시험 합격 기준인데요. 전부 100점을 받아도 합격이며 평균 60점 이상만 되어도 합격입니다. 어찌 됐든 평균 60점만 넘으면 다음 단계인 실기 시험을 치를 수 있는 자격이 된다는 말이죠.

저는 어찌 보면 60점만 넘으면 되는 인생에서 100점을 받기 위해 아등바등 살았는지도 모릅니다. 100점짜리 아들, 100점짜리 남편, 100점짜리 아빠... 이건 불가능에 가까운 미션과도 같은데 말이죠.

현실은 각 과목별 과락에 해당하는 40점 이하의 삶을 살면서도 100점을 갈구하는 어리석음은 아무래도 완벽주의가 낳은 결과가 아닌가 생각합니다. 완벽하게 준비가 되어있지 않은 상태에서는 시도조차 하지 않았기에 핑계는 항상 나 자신이 아닌 밖을 향해 있었고요.

지금이라도 깨달은 게 어딥니까? 따지고 보면 완벽하게 만든 자동차도 결함은 생기잖아요? 그리고 개선을 해나갑니다. 그래서 저는 우선, 과락을 모면하는 걸 최우선 과제로 삼아야겠습니다. 결함을 발견하고 개선을 하는

단계겠네요.


완벽을 바라거나 갈구하지 않기

완벽한 아빠가 되기보다 하루 10분이라도 아이에게 집중하기

완벽한 남편이 되기보다 장미꽃 한 송이에 밝게 웃는 아내에게 감사하며
좀 더 안아주기

양가 부모님께 완벽한 아들이 되기보다 자주 찾아뵙기


이러면 우선 과락은 벗어나지 않을까요?


아빠로서, 남편으로서, 아들로서 나 자신을 스스로 매겼을 때 40점을 넘기
면 그때는 평균 60점이라는 합격에 도전하려고요. 그날이 오면 제 인생도
합격선에 걸치게 되리라 믿어 의심치 않습니다.

# 우리 집 가훈
Just Do It!

소제목처럼 우리 집 가훈은 바로 Just Do It!입니다. 정말이지 불현듯 스쳐 지나가는 생각으로 정한 거였고 나이키의 슬로건이기도 하죠.

Just Do It!

기업의 슬로건 중 제 기준 베스트 5에 드는 문구 중 하나인데요. 비단 저뿐만 아니라 세계 여러 사람들도 뇌리에 박혀 있으리라 생각이 듭니다.

그런데 이 문구가 왜 우리 집 가훈이 되었느냐?

때는 바야흐로 2022년의 무더운 한 여름날이었습니다. 경남 합천에 있는 대장경 테마파크에 놀러 간 적이 있었는데요. 기대하지 않고 갔다가 의외로 재미있고 아이들이 놀만한 곳도 잘 되어 있어서 오래 둘러본 곳이기도 했죠.

그중 한 건물에 들어서니 어떤 작가님께서 가훈을 무료로 써준다고 하시더군요. 뭐 공짜라면 양잿물도 드링킹 한다는데 가훈이라니... 당장 줄을 섰습니다. 근데 그때만 해도 우리 집에는 가훈이란 게 없었습니다. 내가 가장인데 가훈하나 안 만들고 뭐 했지라는 생각에 급하게 머리를 굴리기 시작했습니다. 우리 차례가 다 돼가자 아내의 재촉도 늘어났습니다. 하지만 쉽사리 떠오르질 않더군요. 드디어 우리 차례가 되었습니다. 작가님께서 여쭤시더군요.

"가훈이 어떻게 되나요?"
"…"

몇 초간 정적이 흐른 뒤에 에라 모르겠다면서 기껏 생각해서 내뱉은 말이 바로,

"저스트 두 잇이요."였습니다.
"…"

작가님은 더 오래 멍하니 나를 쳐다보셨습니다. 그러고는,

"… 영… 어…. 네요?"
"네! 잘 부탁드립니다."
"영어는 안 써봤는데… 써 볼게요."

작가님은 황당해하시면서도 웃으면서 정성스럽게 써주셨습니다.

붓글씨와 영어의 조합, 그리고 사뭇 진지한 작가님의 표정과 어우러져 그 자리는 조금 묘한 분위기가 되었습니다. 하지만 귀에 걸면 귀걸이, 코에 걸면 코걸이라고 했던가요. 이 문구 꽤나 마음에 들던데요? 갑자기 울산바위 이야기가 생각납니다.

태초에 조물주가 금강산에 1만 2천 봉우리를 만들기 위해 전국의 잘생긴 바위들에게 소집명령을 내린 적이 있었는데요. 울산바위도 이에 참여하고자 먼 길을 나섰답니다. 하지만 크고 무거운 울산바위는 금세 지쳐서 중간에 쉬었다 가기를 반복했습니다. 우여곡절 끝에 금강산에 당도하기 전인 설악산에 이르러 잠깐 쉰다는 게 그만 잠이 들어버렸는데 그 사이에 금강산에 1만 2천 봉우리의 티오가 다 차버리게 된 겁니다. 설악산까지 당도했는데 다시 울산으로 가려니 기가 찰 노릇이죠. 그런데 설악산 주변도 울산바위가 보기에는 그만한 경치가 없는 게 아니겠어요? 에라 모르겠다. 여기에 정착하자.

저 역시 Just Do It이라는 문구를 되뇌며 뭔가 마음에 쏙 들기 시작했습니다. 마음과 머리가 복잡해지는 지금의 상황에서 저는 우리 집 가훈대로 Just Do It 하며 살려고 노력 중입니다. 아마도 지금의 상황을 몇 년 전인 과거의 제가 본능적으로 현재의 저한테 일침을 가하기 위해 마음속에 심어둔 씨앗이 아니었나 싶습니다.

첫째 아이가 수학 문제가 어려워 푸는 것 자체를 시작 못하며 울먹일 때 일단은 연필을 들고 문제를 마주하라고 했습니다. 숫자 하나하나를 더하고 뺄 때 어떤 결과가 나오는지 알게 되니까 이후로는 더 어려운 문제도 풀 줄 알게 되더군요.

저는 아이의 수학 문제를 알려주면서 우리 집 가훈이 문득 떠올랐고 다시 그 시선을 제 인생으로 돌리게 됐습니다.

나... 지금 잘하고 있어. 그렇게 그냥 해보는 거야.

지금 이 글을 쓰는 것도 그냥 하는 것입니다. 노트북을 펴고 키보드를 두드립니다. 문법, 맞춤법, 맥락, 구조 따위 신경 쓰지 않습니다. 정해진 날짜도 없습니다. 그냥 씁니다. 그러면서 저는 반성할 일은 반성하고 칭찬할 일을 했으면 스스로에게 칭찬을 합니다. 하다 보니 재미있네요. 아직 살 날도 많은데 복잡한 생각보다는 그냥 지금 해보는 것에 집중해 보렵니다.

Just Do It!

# 공부 잘했던 친구

그로부터 배우는 인생

*b*

학창 시절 재미있게 본 드라마 중의 하나가 바로 '카이스트'였는데요. 카이스트의 로봇 축구 동아리를 중심으로 학생들의 우정과 꿈과 일상을 그려나간 드라마였죠. 더 거슬러 올라가면 초등학생(그때는 국민학교였죠) 시절 '천재소년 두기'도 즐겨봤네요. 공통점은 바로 천재들의 이야기를 다룬 것이었죠.

저는 그런 천재들의 삶을 동경해 왔었습니다. 아이큐가 높아 어릴 때부터 공부에 두각을 나타내고 조기졸업해서 미성년자이면서도 대학생이 되는 삶 말이죠.

똑같을 순 없지만 이런 비슷한 캐릭터는 제 주변 친구들 중에도 있었습니다. 모의고사를 치른 후 내가 쓴 정답이 맞는지 확인하러 부리나케 달려가던 목적지는 바로 그 친구의 책상 앞이었습니다.

현재 그 친구는 약사가 되어 있습니다. 그때는 이런 머리 좋은 친구가 마냥 부러웠습니다. 당시엔 저도 저런 좋은 머리를 타고났으면 좋으련만 아무리 공부를 해보려고 책을 펼쳐도 머릿속에는 헤비메탈의 선율만 가득했던 시절이었네요.

지금은 약사가 된 그 친구와 가끔씩 일요일 아침에 캐치볼을 하면서 학창 시절 이야기를 나누곤 하는데요. 공을 주고받는 동안 오래전부터 궁금했던 것들을 물어보곤 했습니다.

그중 공부하는 요령에 대해 이것저것 많이 물어봤네요. 의외로 너무도 간단해서 조금 놀랐습니다. 그리고 천재라고 생각했던 그 친구도 본인보다 더 높은 경지에 올라있는 존재를 동경했다는 사실도 알게 되었습니다.

저는 이렇게 공부 잘하는 친구가 가만히 선생님 설명 한 번만 들어도 머릿속에서 다 암기가 되어 책상 서랍에서 볼펜을 꺼내듯이 필요할 때 쏙 골라 떠오르게 하는 줄로만 알고 있었습니다.

하지만 그 생각은 그저 저의 어림짐작일 뿐이었습니다. 엄밀히 말해 보통 수준보다 조금 더 암기를 하는 요령이 있는 정도랄까요? 친구와 대화를 나누면서 몇 가지 특징이 보였는데 다음과 같았습니다.

– 작지만 뚜렷한 목표가 있었습니다.

- 건전한 경쟁상대가 있었습니다.

- 운동을 (잘 하진 못하더라도) 좋아했습니다.

- 노력했습니다.

하나씩 살펴볼까요?

작지만 뚜렷한 목표

혼자 속으로 품고 있는 야망은 있었을 테지만 이 친구들로부터 장래에 뭐가 되겠다는 말은 들어 본 적이 없습니다. 뭐가 되더라도 잘했을 친구라 믿어 의심치 않기도 했고요.

하지만 공부를 잘했던 이 친구는 소위 말해 자신의 위치에서 해낼 수 있는 작은 목표를 미션으로 삼고 클리어해 나갔습니다. 어느 대학에 가겠다가 아니라 눈 앞에 다가온 시험에 이번에는 꼭 몇 점을 받겠다 뭐 이런식이었죠.

공부 뿐만 아니라 그는 대학생 시절에 지금의 아내 되는 사람에게 첫눈에 반해 꼭 자신의 여자친구로 만들겠다고 선언하고는 얼마 뒤 둘이 손을 잡고 나타났습니다.

성취가능한 작은 목표를 이루고 그 성취감을 바탕으로 다음 단계의 목표를 설정하는 행동은 마치 구글의 OKR이 떠오르게 만드네요. 한창 유행이던 린(lean) 스타트업 방식도 마찬가지고요.

건전한 경쟁상대
약사를 하고 있는 이 친구는 지금은 치과의사가 된 친구와 반에서 1, 2등을 다투던 사이였는데요. 드라마에서나 보던, 성적으로 인한 시기와 질투는 눈곱만큼도 없었습니다.

둘은 고등학교 1학년 때 까지만 해도 모의고사를 치르면 5점 내외에서 엎치락뒤치락하던 사이였습니다. 한두 문제 차이로 점수와 등수가 갈라지는 정도여서 1등을 두고 한창 다투던 사이였죠.

그런데 약사친구 말로는 고등학교 2학년이 되면서부터 둘 사이의 성적이 조금 벌어지기 시작했다고 하더군요. 모의고사 성적이 5점 차이로 다투던 격차가 10~20점 정도까지 벌어지게 되니까 그게 그렇게 까마득해 보일 수가 없었다네요.

방학 때 놀고 싶은 마음을 억누르고 미친 듯이 공부했다는 이야기를 듣고는 성적이 왜 그렇게 차이가 났는지 알 수 있었다고 합니다. 그래서 약사친구는 심기일전해서 부족한 부분을 메우려 하얗게 불태웠습니다.

고3이 되어 저를 포함해 모두 같은 반이 되었습니다. 촌구석이다 보니 같은 반 되는 건 그리 놀랄 일은 아니었습니다. 둘이 같은 반이 되니 말 그대로 불꽃이 튀더군요. 안 그래도 점수가 높았는데 한국 최고의 대학교를 넘볼만한 실력으로 성장하는 게 눈에 보일 정도였습니다.

둘은 서로에게 좋은 경쟁상대이자 페이스메이커였던 것이었죠. 약사친구는 나이를 먹은 지금도 이야기를 합니다. 그 친구가 없었다면 본인도 그 정도 성적을 올리기 힘들었을 거라고.

운동
저와 친구 둘 다 약간은 샌님 이미지가 강합니다. 운동과는 거리가 멀어 보였죠. 하지만 우리는 야구를 굉장히 좋아했고 지금도 좋아합니다.

그러니 아직까지 서로 만나서 캐치볼을 하는 거죠. 어디 아마추어 수준에도 한참 못 미치는 운동능력이지만 레벨이 비슷하다 보니 즐겁게 운동을 할 수 있었습니다.

* 지금 친구들 중에 배가 나온 사람은 저 말고는 몇 명 없습니다. 장사를 하며 불규칙적인 생활습관으로 인해 망가졌는데 생활 습관이 조금씩 정상으로 돌아가고 있어 이제 곧 정상 체형으로 돌아가게 될 거라 확신합니다.

아무튼 친구와는 아직까지 운동을 하고 있는데요. 학창 시절에 가만히 앉아 공부만 하던 때보다는 확실히 운동을 조금이라도 했던 때가 더 나은 퍼포먼스를 보였습니다. 지금이야 매일 하는 적당한 운동이 뇌 건강에도 좋은 영향을 미친다는 과학적인 근거가 많죠.

하지만 당시만 해도 선생님들조차 4당5락(4시간 자고 공부하면 합격, 5시간 자면 불합격)이라는 말을 해가며 체육시간을 없애는 한이 있더라도 공부를 강요했습니다. 정말 무식한 방법이 아닐 수가 없었는데 그 와중에도 틈날 때마다 농구 한 게임이라도 뛰며 떨어지는 체력을 보충하곤 했습니다.

잘하지는 못할지언정 분명한 것은 적당한 운동이 학업성취, 더 나아가 인생에도 큰 힘이 되었다는 사실입니다. 운동으로 땀을 쏟아낸 후 개운한 기분을 느껴본 적이 있나요?

저는 운동과는 거리가 멀었는데 나이가 든 이후로 킥복싱을 배우게 됐습니다. 체육관에서 모든 힘과 스트레스를 쏟아낸 뒤 샤워를 딱 하고 집에 오면 잠도 잘 오고 다음 날에 가뿐하게 일어나게 되어 하루를 상쾌하게 보낼 수가 있더군요.

노력

마지막으로 이 친구, 그 때는 그게 제 눈에는 잘 안보였지만 엄청나게 노력을 했던 친구입니다. 아는 문제를 틀리면 굉장히 아쉬워하고 이후로 똑같은 실수를 반복하지는 않았습니다. 다시 틀리지 않기 위해서는 복습이 필수였겠죠?

이 정도로만 풀어냈는데도 뭔가 느낌이 오지 않나요?

저는 왜 천재를 동경하기만 했을까요? 그 천재에 가까웠던 친구들은 자신의 머리만 믿고 살아왔던 게 아니었음을 알게 된 이후로는 생각이 많이 바뀌었습니다. 제가 실패로 괴로워할 때 누군가로부터 '노력이 부족해서 그런 게 아닐까?'라는 말을 들었을 때는 울컥한 적이 있었습니다.

그 '울컥'이 내 노력으로도 힘든 상황이었기에 억울한 마음에서 그랬던 건지, 아니면 정곡을 찔려 쪽팔림을 가리기 위했던 건지 알 수 없지만(혹은 둘 다 일수도 있지만) 지금 와서 생각해 보면 후자가 맞겠다는 생각이 많이 들기 시작했습니다.

지금은 치열하게 인생을 살아갈 자신은 없지만요, 그래도 앞에 소개해드린 제 친구들처럼 조금은 자신의 인생에 진심을 담는 시기를 보내고 싶은 마음이 들긴 하네요. 아직 제 주변에 배울 점이 많아 좋은 친구들이 많이 있어 줘서 감사한 마음이 드는 하루입니다.

# 식자우환(識字憂患)

아는 것이 오히려 근심이 되었던 이유는?

*b*

"아는 것이 힘이다."

어릴 때부터 많이 들어왔던 말입니다. 저는 이 말을, 언제 써먹을지도 모르니 일단 닥치는 대로 공부하라는 뜻으로 오해했었죠. 관심이 가는 것이 있으면 수박 겉핥기식으로 여기 찔끔, 저기 찔끔 건드리며 깊게 파고들지는 못했습니다.

금방 싫증을 내는 성격도 한 몫 한 것 같고요. 그러다 보니 전문성이 떨어진 채로 학교 밖으로 나오게 됐고 직장 생활에서도 쉽게 적응을 하지 못한 게 아닐까 생각해 봅니다.

아는 것이 힘이 되는 것은 맞는 말입니다. 하지만 저처럼 여기 찔끔 저기 찔끔 건드려보며 맛만 봐서는 그것이 제 힘으로 바뀌지는 않더군요.

스티브 잡스는 아무리 상관없는 걸 하더라도 훗날 인생의 점들이 다 연결된다고 했잖아? 라고 스스로 반문해 봤습니다.

그랬죠.

스티브 잡스의 그 유명한 스탠퍼드 대학교 졸업식 연설 들어보셨나요? 연설 내용 중에서 본인 인생을 이야기하며 여러 변곡점들을 알려주었습니다. 입양아, 대학 중퇴, 서체 강의 청강, 영성, 약물, 애플 창업, 애플 퇴출, 픽사, 다시 애플로 이어지며 결국 세상을 바꾸는 제품들을 내놓기 시작한 거죠. 그리고 인생의 변곡점들이 하나하나 이어져 오늘날의 자신이 된 거라고도 했습니다.(인성 이야기는 논외입니다.)

그와 저의 결정적 차이는 굳이 깊은 생각도 할 필요도 없이 바로 알 수 있었는데요. 그는 집중해야 할 대상에 몰입을 했고 저는 대상의 문에 대고 노크만 하고 기다리지도 않고 곧바로 다른 곳으로 노크를 하러 갔다는 것입니다.

그렇다면 제가 왜 이 글의 제목을 아는 것이 도리어 근심이 된다는 식자우환 사자성어를 달았을까요?

사실, 제 인생을 빗댄 식자우환이라는 글자 앞에 '어설픈'이라는 말을 넣어야 했습니다. 저는 실패를 한 후에야 비로소 스스로 어떤 인생을 살아왔는지 생각해 보면서 이 '어설픔'을 꼭 달고 살았더군요. 어설프게 알게 된 것들이 결국 나에게 우환이 되어 돌아온 것이죠.

삶을 살면서 내 인생 곳곳에서 여러 문제를 맞닥트리게 되곤 하는데요. 어설프게 이것저것 알고 있다 보니 그걸 풀 수 있는 해결책이 아닌, 여러 방법들을 놓고 시간을 끌며 근심만 쌓이게 되는 결과를 초래습니다.

인생은 타이밍인데 말이죠.

선무당은 사람을 잡고 어설프게 아는 것은 인생의 발목을 잡게 되네요. 그걸 내 나이 40이 넘어서야 타인의 시선이 아닌 자신의 시선으로 스스로를 돌이켜보며 알게 됐습니다.

내 인생 여러 곳에 흩뿌려놓은 점들을 이젠 하나하나 이어 나가보려 하는데 쓸만한 점들이 많이 보이지 않아 울적해진 마음을 글로 담아봅니다.

그렇다고 마냥 가만있을 순 없겠죠? 어설프게 아는 것들은 싹 다 포맷해 버리고 지금부터라도 날 일으켜 세울 점들을 찾아 하나씩 이어나갈 수 있도록 몰입해 봐야죠.

# 삶에 집중력이 떨어진 순간

b

최근에 화장실에서 쓰러져서 병원 신세를 진적이 있었는데요. 다행스럽게도 머리에 이상은 발견되지 않았지만 상처가 아물 동안 저는 뭔가 멍한 느낌으로 계속 지냈습니다. 일에 집중도 안되고 집에 와서도 말수가 많이 줄어들었죠.

처자식을 생각해서라도 정신 똑바로 차리고 살아야 되는데 저는 그게 잘 안되었나 봅니다. 그렇게 상처가 난 곳에 봉합했던 실밥을 다 풀고 난 뒤에 또 사고가 터졌습니다. 금요일 오후, 퇴근 시간 5분 전이었는데요. 작업을 마친 뒤에 사용하고 남은 소재들을 절단기에 올려놓고 자르고 있었습니다.

금요일 퇴근 임박이 주는 즐거움 때문이었을까요, 아니면 아내와 둘이서 늦은 밤 축구를 보며 소주 한 잔 기울일 생각에 들떠서였을까요. 두 손으로 잡고 조심해서 다루어야 할 절단기를 한 손으로 작업하다가 그만 묵직한 파열음과 함께 잔재들이 튀어서 제 왼손을 강타하고 말았습니다. 장갑을 벗어보니 손은 금세 부어올랐고 피도 생각보다 많이 나기 시작하더군요.

부은 모양새가 골절 같아 보여서 서서히 아파오는 손을 부여잡고 공장장님이 태워주시는 차를 타고 병원 응급실로 달려갔습니다. 쇼크가 온 건지 몰라도 가는 동안 방송이 종료된 tv 화면처럼 멍해진 순간도 있어서 조금 당황했는데요. 다행히 병원에 가는 동안 옆에서 공장장님이 계속 말을 걸어주셔서 정신을 잃지 않고 병원에 도착했습니다.

엑스레이를 찍어보니 다행히도 골절은 아니었고 인대가 찢어져서 곧바로 봉합수술을 했습니다. 2주 뒤에 실밥을 풀자는데 그때까지는 다친 손을 쓸 수가 없게 됐습니다.

* 하지만 저는 지금 붕대사이로 삐죽 나와있는 왼손 약지와 새끼손가락으로 키보드의 자음을 치고 있네요. 다친 것들도 글감이라 생각하며 신나 하다니 저도 제정신은 아닌가 봅니다.

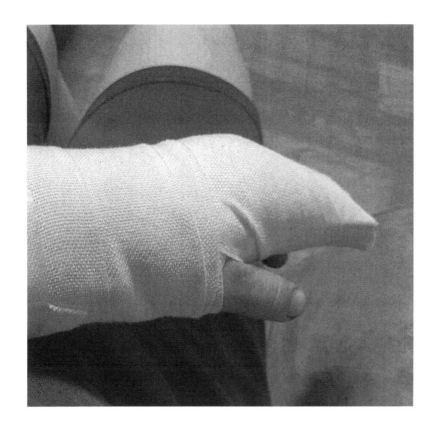

집에 가니 아내가 걱정 섞인 야단을 치더군요. 그리고 요새 너무 멍청하게 살고 있는 거 아니냐면서 예전의 성실한 모습은 어디 갔냐고 나무라더라고 요. 잠자코 듣고만 있을 수밖에 없었습니다.

제가 생각해도 뭔가 의욕이 많이 없어진 느낌이랄까요? 삶에 집중력이 떨어졌달까요? 그러다가 이런 사고가 생긴 게 아닐까요...

왜 이런 사고가 연달아 생기게 됐는지 제 자신이 원망스럽기도 하고 한심하기도 했습니다. 하지만 이미 일어난 일을 돌이킬 수는 없는 노릇입니다. 느슨했던 내 인생에 긴장감을 심어주는 보이지 않는 힘이 작용했다고 생각이 들고요.

믿거나 말거나 누군가가 인생이 바뀌게 될 때 크게 아프게 된다던데 저는 이 말을 믿기로 했습니다. 뭔가 내 인생에 근사한 일들이 벌어지기 전에 나타나는 전조현상이라고 여기기로 말이죠.

그래도 몸이 불편한 걸 핑계로 모처럼 아내가 밥을 차려주고 머리도 감겨줘서 행복하기도 하네요. 이런 걸 자랑이라고 친구들한테 떠벌리니 다들 다친 게 자랑은 아니니까 아내에게 잘해주라고 충고하네요.

저 언제 철들까요? 이왕 철들기 전에 다 나으면 진짜 아내를 업고 동네 한 바퀴 돌아야겠습니다. 마침 아내도 다이어트 중이네요.

# 간헐적 왼손잡이

*b*

최근 왼손을 다친 뒤로 저는 왼손으로 하던걸 오른손으로 하려니 답답해 미치겠더군요. 저는 원래 오른손잡이이긴 하지만 특정 행동에선 간헐적 왼손잡이이기도 하기 때문인데요. 특히나 양치질과 면도는 도저히 오른손으로 못하겠더라고요.

언제부터 간헐적 왼손잡이가 됐는지 기억은 나지 않습니다. 양손 다 사용할 수 있으면 좋으련만 칫솔과 면도기를 쥐는 손이 마치 태어날 때부터 왼손에 배정된 것처럼 오른손으로 사용하기가 여간 불편한 게 아니네요.

평소에 밥 먹고 휴지 쥐는 손이 오른손이라 왼손을 다친 게 그나마 다행이라 여기지만, 사소한 불편을 겪을 때마다 왼손의 소중함은 더욱 커지더라고요.

어젠 양치를 하면서 칫솔을 콧구멍에 쑤셔봤고요. 오늘 아침엔 면도를 하면서 결국 인중에 피를 봤습니다. 한심한 듯 쳐다보는 아내의 시선은 덤이네요.

왼손 하나 다쳤을 뿐인데 세수 하나 제대로 못하겠더군요. 잘 쓰지 않는 것 같은 신체 부위를 다칠 때마다 항상 뼈저리게 후회하곤 합니다.

그 어떤 누군가는 저에게 왼손 같은 존재가 있을 수 있겠죠. 모두 같은 내 몸이고 소중한 존재인데 다치고 아파봐야 소중함을 느끼게 되는...

오늘은 엄마한테 전화 한 통 넣어봐야겠습니다.

피할 수 없다면 즐겨라

*b*

설 연휴 셋째 날 아침, 다친 왼손에 붕대를 감고 있는 상황에서 장모님의 친정이자 아내의 외가에 장모님을 모셔다 드려야 되는 상황이 생겼습니다.

원래는 아내가 아침 일찍 일어나서 모셔다 드리겠거니 하고 별생각 없이 누워 있었는데 아내는 안방에 누워 도무지 일어날 기미가 보이지 않더군요. 오전 9시가 넘은 시각, 저는 제 방에서 나와(저의 극심한 코골이 때문에 신혼 때부터 각방을 쓰고 있습니다) 안방에 들어가서 잠깐 부스럭 대니 아내가 귀찮아하는 (처참한) 몰골로 엄마 어떻게 좀 해보라더군요.

장모님한테 가서 무슨 일인고 여쭤보니 지금 친정에 가야 하는데 아내가 자고 있어서 데려다줄 사람이 없는 게 많이 서운하신가 봅니다. 아내는 평소에도 아침잠이 많기에 장모님께 붕대감은 제 손을 들어 보이며 이 꼬라지라도 운전은 가능하니까 천천히 가자고 제가 데려다 드리겠다고 말씀드렸습니다.

장모님은 금세 화색이 돌면서 다른 방에 누워계신 장인어른께 같이 가자고 했지만 장인어른은 우리 아이들을 봐줘야 된다면서 집에 계시겠다고 하시더군요.

아이들은 제가 보는 게 더 낫지 않겠냐는 말이 나올 뻔했지만 처가와 시가
는 나이가 들어도 어려운 곳인가 보다 생각하니깐 잘 삼켜졌습니다.

아무튼 전날 우리 집에서 놀고 아침까지 거실에서 곤히 자고 있는 처조카
도 부산 처가에 데려다줘야 했기에 장모님과 처조카를 차에 태우고 길을
나섰습니다. 다행히 가는 길에 차는 막히지 않아 부산에 먼저 도착해 처조
카를 내려주고 울주군 서생면으로 향했습니다.

자주 본다고는 해도 장모님 역시 친정가족이 그리웠을 테니 볼 일만 보고
금방 온다는 생각은 하지 않았습니다. 그래도 몇 시간 있다가 바로 출발할
줄 알았는데 장모님은 이모님, 이모부님과 함께 슬슬 술잔을 주고받기 시
작했습니다. 왠지... 해가 떨어지기 전에 출발하긴 글렀다는 생각이 들면서
오늘 세웠던 계획을 하나씩 지워나갈 수밖에 없었습니다.

솔직한 심정은 '아, 오늘 소중한 내 시간, 내 하루가 다 날아가겠구나'였습
니다.

커피 한잔 마시며 보고 싶었던 책 1권 완독 하기와 아이들과 공놀이하기,

블로그에 글쓰기 같이 연휴기간 중에 딱 하루 만들어 낼 수 있는 꿀맛 같은 계획을 백지화하려니 가슴이 아프더군요.

하지만 '피할 수 없다면 즐기자'는 말을 누가 제 머리에 세뇌시켰을까요? 지금 상황에서 내가 할 수 있는 최적의 솔루션을 찾아내는데 재미를 붙여 보자는 생각을 했습니다.

이모부와 이모님이 경작하시는 텃밭 주변은 온통 작은 언덕산으로 둘러싸여 있었기에 저는 우선 주변 자연을 벗 삼아 보기로 했습니다. 마침 신발은 가벼운 운동화를 신고 있어서 가벼운 마음으로 주변 경치를 감상하며 동산을 오르내리며 걷기 시작했습니다.

공기가 굉장히 상쾌해서 제 폐가 한 호흡에 담지 못할 만큼 버거웠었는데요. 30분 정도가 지나니 상쾌한 공기를 제대로 마시며 걸을 수 있게 됐습니다.

그때부터 걷는 것이 즐거워지기 시작하더군요. 그러면서 이어폰으로 오디오북을 들었는데 한 시간 이상을 들을 수 있었습니다.

비록 완독은 아니지만 귀로도 충분한 독서가 가능했습니다. 어쨌든 독서계획은 실천에 옮겼네요.

그 다음, 역지사지의 마음을 가져보자 마음먹었습니다. 설 연휴가 시작되기 전 날부터 친가에 가게 되었던 저는 신났습니다만 아내는 '시'자가 붙는 곳에 가게 된 거잖아요. 아무리 잘해줘도 시댁은 시댁인 법. 그렇게 연휴가 시작되고 이틀 동안 불편해 했을 아내를 생각하니, 처 외가에서 홀로 덩그러니 있는 저 대신에 저희 외가에 저 없이 혼자 제 아내가 가 있다고 생각해 봤습니다. 아, 아내는 이래 본 적이 없어서 이건 좀 억울하네요. 역지사지는 실패입니다.

마지막으로 장모님과, 이모부, 이모님의 대화에 합류해 보기로 했습니다. 술잔을 주고받는 농막 안에 들어서니 따뜻한 온기가 느껴졌고 이모부님께서는 저를 가장 따뜻한 곳에 앉히시고는 편하게 누우라고 하시더군요.

편..... 하게 누웠습니다.

이렇게요.

세 분이서 대화하시고 저는 위 사진처럼 편한 듯 불편한 자세로 그분들의 이야기를 경청했습니다. 수십 번 들어 다 아는 그분들의 인생사를 들으며 장모님으로부터 한 시간 뒤에 출발하자는 약속을 받아냈건만 그 한 시간이 24시간처럼 느껴져서 잠시 자는 척도 해보았습니다.

다행히도 산 아래에 있는 곳이라 해는 생각보다 빨리 떨어져서 오후 5시에는 출발할 수 있었습니다.

집으로 오는 길, 밀리는 고속도로 위에서 술에 취하신 장모님의 인생 넋두리를 들으며 왔습니다. 술 취하신 틈을 타 실컷 놀려대다가 등짝 스매싱도 맞아가며, 고생하는 자신의 딸한테 잘해주라는 뻔한 잔소리도 들으면서 오는 동안 오늘 내 시간, 내 하루를 허비했다는 생각은 금세 잊어버렸습니다.

결국 저는 오늘 오디오북으로 독서를 했고, 글감도 얻었으며, 이모님께 맛있는 커피도 얻어마셨기 때문입니다. 집에 도착하니 아이들은 장인어른과 재미있게 놀았다고 하니 오늘 계획이 다 이뤄진 셈이네요. 이제 친구 만나러 횟집에 간 아내만 얼른 집에 오길 기다리면 될 것 같습니다.

점심 식사 5분 컷

\* 모두가 공감하는 내용은 아님을 우선 알려드립니다.

제가 다니고 있는 회사는 공단 내에 위치한 작은 제조업체인데요. 제 기준에서 우리 회사의 장점 중에 하나를 꼽으라면 점심식사 시간이 11시 50분부터 시작되는 겁니다. 10분 더 주어지는 점심시간이 얼마나 큰지는 입사하자마자 바로 느낄 수 있었습니다.

우리 회사는 직원 수가 얼마 되지 않아서 11시 50분 땡 하면 곧바로 승합차 1대에 우르르 타고 3분 거리에 떨어져 있는 한식 뷔페식당에 가서 식사를 합니다.

반찬은 5~7가지가 나오고 가끔 국밥이나 수육 같은 특식이 나올 때도 있습니다. 참고로 저는 상상이상으로 단순한 동물이라 밥 잘 나오고 집 가까우면 좋은 직장이라 생각합니다.

게다가 남자만 있는 회사라 밥 먹는 속도도 경쟁입니다. 다들 자기 식판을 테이블에 놓고 수저를 들자마자 흡입하기 시작하는데 마치 경마장의 경주마를 방불케 합니다. 우즈벡 출신 직원 2명도 처음엔 숟가락, 젓가락질이

서투르고 밥 먹는 속도도 느려서 애 좀 먹는 것 같았는데 이제는 몇 개월 지났다고 국에 밥을 말아먹질 않나 김치도 곧장 잘 먹더군요.

아무튼 저도 처음에는 밥 먹는 속도를 못 따라가서 애 좀 먹었었는데요. 얼마 전까지만 해도 음식 맛 따위 트림할 때 느껴보리라, 소화는 위장이 알아서 해주리라 믿고 입에다 쑤셔 넣기 바빴습니다. 물론 5분 내로 식사가 끝나더군요. 다 같이 식사를 마치고 나오면 12시 5분이 채 되지 않습니다.

점심 식사 후 1시까지 남은 시간이 무려 50분이 넘습니다. 회사 탕비실에서 제가 좋아하는 초코음료를 하나 들고 나와 제 차로 갑니다. 차 안에는 항상 읽고 있는 책이 한 권 있는데요. 들고 온 음료수를 마시며 졸리기 전까지 대략 20분 정도 독서를 합니다. 그리고 거짓말처럼 12시 30분쯤 되면 눈이 감깁니다. 아마도 5분 만에 먹은 밥 때문이 아닐까 생각이 드네요.

밥을 빨리 먹는 습관은 건강에 안 좋다고 하잖아요? 그런데 차 한 대로 회사 직원이 다 같이 식당에 가서 밥을 먹고 오는데 저 혼자 밥을 느리게 먹는 것도 굉장한 부담이 되더군요.

그래서 저는 이번 달부터 평소보다 먹는 양을 줄이게 됐습니다. 밥 양이 줄어드니 소화도 잘 되고 자연스럽게 제 몸무게도 줄어드는 기적이 일어났습니다.

이따금씩 뉴스로 접하게 되는 직장인들의 삶 중에 점심시간 짬을 내 자기계발을 빡세게 하는 수도권 회사원을 동경해보기도 했지만 저는 지금의 점심시간을 만족해하며 살고 있습니다. 10분 일찍 식당에 가서 5분 만에 밥 먹고 회사로 돌아와 차 안에서 책 좀 읽다가 잠드는 점심시간 말이죠.

밥반찬이 별로라고 투덜대는 직장 동료도 있지만 저는 인생의 바닥을 경험하다 보니 남들이 불평하는 환경도 저에게는 그렇게 좋아 보일 수가 없습니다. 그냥 이렇게 제 때 밥 먹을 수 있는 것 자체로도 감사해하는 단순한 감정에서 제 나이 40 이후의 행복을 세팅해 봅니다.

# 마음의 화장실

b

가끔 삶에 대한 막막함에 잠을 이루지 못할 때가 있습니다. 사는 게 힘들다는 생각이 저의 머리 구석구석 침투해 들어와서는 아픈 기억만 자꾸 끄집어내며 바늘처럼 쑤셔대곤 하는데요. 그 막막함에 두통이라는 후유증도 찾아오게 되더군요. 이 때는 독한 두통약도 소용없는 듯합니다.

최근에는 이러다가 우울증에 걸리는 건 아닐까 하는 생각도 해봅니다. 그리고 이런 생각은 꼬리에 꼬리를 물고 이어지다 우울증에 걸린 이후의 삶에 대한 스토리도 혼자 짜나가기 시작합니다.

남들이 나의 죽음에 크게 슬퍼하는 장면을 영혼이 되어 공중에서 바라보는 장면까지 그려나가 봤는데요. 거기에서 느낀 감정이 크게 유쾌하지만은 않았습니다. 그래서 이 스토리는 다시 시간을 돌려 지금의 제 상태로 돌아오게 됩니다.

훗날에 찾아올 행복에게 자리를 내주려고 그나마 조금 남겨뒀던 내 마음 한 구석이 있었습니다. 여유 없고 비좁더라도 그 자리는 꼭 있어야 될 것 같아서요. 근데 그 작디작은 공간에 침투하기 위해 단단히 벼르고 있던 다른 세력, 바로 부정적인 생각이 기습공격을 한 건 아닐까요?

이 문제를 해결해 줄 사람은 나 자신이라는 건 잘 알고 있습니다. 차근차근 지금의 부정적인 나 자신에 대해 생각해 봅니다.

혼란스럽고 안 좋은 생각이 많아지고 있는 상태다.

대인 관계가 부담스럽고 버겁다. 가족도 포함이다.

온전히 혼자 있고 싶다. 딱 하루만이라도...

술을 마시고 싶다.

경제적 여유가 없다.

나 자신에게 쓰는 돈은 거의 없는데 내 월급은 다 어디로 갔을까?

제발 누가 나에게 시답잖은 농담 좀 안 걸었으면 좋겠다.

나는 도움을 받는 것에 크게 감사해한다. 하지만 도움을 주시는 분은 가끔씩 선을 넘는다. 이런 일에 그나마 얼마 안 되는 내 에너지를 써야 한다는 게 큰 스트레스다.

대충 이 정도로 생각해 봤는데요. 이것도 자체 심의를 통해 어느 정도 필터링을 거친 글이며 실제 제 안에 지니고 있는 생각들은 더 못됐더군요. 글을 쓰면서 반성하고 있는 중입니다. 어라? 글을 쓰다 보니 기분이 조금 나아지네요?

항상 좋은 생각으로 좋은 길만 갈 수 있는 인생은 없나 봅니다. 저 역시 평범한 사람인지라 안 좋은 일에는 안 좋은 생각이 따라오는 걸 막을 도리는 없죠.

차라리 내 머릿속 못 돼먹은 생각들을 아무도 모르는 나만의 공간에 다 배설하듯 속 시원히 써내려 가보면 어떨까요? 이건 손 글씨로 쓰면 더 좋을 것 같군요.

크게 소리치면서 스트레스를 풀고 싶지만 우리 아파트에 미친놈이 산다는 소리는 별로 듣고 싶지 않네요. 대신 화장실에서 볼 일을 보듯이 변비처럼 쌓여버린 안 좋은 마음도 훌훌 털어버릴 수 있는 '마음의 화장실'을 하나 마련해야겠습니다.

어릴 때처럼 자물쇠가 달린 다이어리를 사면 좋겠지만 지금 제가 그런 걸 한다면 누가 봐도 열어보고 싶을 테니 그냥 아무도 안 볼 것 같은 허름하고 쓰다만 노트에 적어봐야겠네요.

저는 오늘도 이렇게 그냥 좋은 생각, 나쁜 생각, 잡생각 골고루 해가며 살아가고 있습니다.

어찌 보면 걍생살기가 내 인생 가장 힘든 미션일수도?

자신의 에너지를 타인의 비난에 낭비
하는 분들에게

*b*

이번 시간에는 저의 이야기가 아니라 세상 밖 이야기를 해볼까 합니다.

요즘 인터넷 기사를 보다 보면 사람들이 참 화가 많이 쌓여 있는 것 같습니다. 그 화를 풀 수 있는 곳이라면 어느 곳이든 찾아가서 배설하듯 쏟아내더군요.

화라도 풀리면 불행 중 다행일까, 그런 사람들은 자신들이 배설할 수 있는 플랫폼을 이리저리 옮겨가며 타인을 비방하기 바쁘며 그 화를 점점 키워나갑니다.

정치 편향에 따른 편 가르기는 유구한 역사를 자랑하고요. 스포츠, 연예가 뒤를 따릅니다. 그리고 언론은 불난 집에 부채질을 하듯 판을 깔아줍니다.

저는 먹고살기 바빠 그냥 그런가 보다 하는 가십들이 누군가에게는 부모형제보다 더 중요한 문제가 되어 도를 넘은 비난과 비방을 뱉어내네요. 사람을 움직이게 하는 것에는 기본적인 욕구 외에 '분노'도 포함되나 봅니다.

왜 그렇게 분노가 본인 삶의 동력이 되어 버렸을까요?

누군가가 기업을 일궈 돈을 많이 벌었다고 알려지면 구린 데는 없는지 누가 시키지도 않았는데 뒷조사를 하고,

좋은 대학교에 나온 연예인보고 학력 위조를 의심하고,

사건이 터지기 전에는 잠잠하다가 누군가가 사회적 물의를 일으키는 사건이 터진 후 진작 그럴 줄 알았다며 악플을 다는 등...

왜 자신의 소중한 시간을 낭비해 가며 부정적인 에너지 소비에 열을 올릴까요?

실제로는 사회 생활하면서 만난 사람들이나 가족, 친구들 중에 그런 뉴스 기사 같은데 댓글을 다는 사람은 거의 보지 못했습니다. 댓글을 달려면 해당 사이트에 로그인을 하고 댓글버튼을 누르고 글자를 입력해야 하는 번거로운 과정을 거쳐야 합니다.

간혹 좋은 콘텐츠가 있다면 제작자에게 감사하다는 댓글 정도는 달까 몰라

도 저 같은 사람은 웬만하면 댓글달기는 귀찮아서 안 하는 일입니다.

곰곰이 생각해 봤습니다.

'내 주변 사람들 중에 댓글을 공들여 쓰는 사람은 본 적이 없다. 그런데 이슈가 있는 뉴스기사의 댓글창은 찬반은 둘째치고 아주 원초적인 욕설과 근거 없는 비방이 넘쳐난다.

어디서 이런 사람들이 나오는 걸까?'

정답은 모르겠지만 결국 끼리끼리 모이게 되는 게 아닐까요? 싸우는 당사자나 판을 깔아주는 언론이나 거기에 대고 건전한 논쟁도 아닌 일방적인 비하만 퍼붓는 사람이나 유유상종인 것입니다.

이제 겨우 내 인생에 집중하며 살게 된 저로서는 굉장히 안타까울 따름입니다. 자신의 인생 혹은 자신에게 주어진 시간은 정말 소중하고 귀하며 다시는 돌아오지 않습니다.

그런 에너지를 온전히 자신에게 쓰기는커녕 타인을 비난하고 헐뜯는데 쓰는 분들이 안타깝고 또한 아까워 잠시 끄적여봤습니다.

# 아내와 싸운 날, 그리고 화해

얼마 전 아내와 대판 크게 싸웠었습니다. 정말 사소한 일이 불씨가 되어 서로의 케케묵은 감정까지 다 쏟아낸 것인데요. 일단 원인은 저의 말투 때문이었습니다.

저는 토요일 근무가 있어서 회사에 갔던 날이었습니다. 아내는 아이들을 데리고 바닷가로 낚시를 하러 갔었죠. 일을 마치고 오후 3시쯤 집에 와서 잠깐 기다리니 아내와 아이들이 도착하더군요. 잡은 물고기를 보여주며 한창 자랑을 하는 아이들과 아내에게 매운탕을 끓여주기 위해 저는 생선을 손질했습니다.

미리 만들어 놓은 육수에 무를 썰어 넣고 고추장과 된장을 적절하게 풀어 넣고 간 마늘과 파, 두부 등을 넣어 대충 매운탕을 내어 놓으니 잘 먹더군요. 그러는 사이에 아내가 '잡아온 물고기 통 좀 정리해 주지'라며 지나가는 말투로 저에게 말을 했습니다. 저는 피곤하기도 했고 매운탕 끓이느라 정신없어서 그냥 아무 생각 없이,

"네가 한 취미 생활을 내가 정리해 줘야 되냐?"라고 말했습니다.

그랬더니 아내가 한참 멍하니 서있다가

"... 재수 없어."라며 방으로 들어갔습니다.

저는 처음에 그게 그냥 마음 상할 일은 아니고 제 말이 재수 없어서 맞받아 친 거라고만 생각했습니다. 하지만 이후로 아내가 저를 대하는 반응은 냉랭했습니다. 저는 아내가 화가 난 포인트가 낚시 도구 정리를 안 해준 것에 맞춰져 있어서 저도 저 나름대로 뭔가가 계속 서운했습니다. 대화단절은 다음날까지 이어졌습니다.

다음날은 아이들과 대구 이월드에 가기로 한 날이었습니다. 저는 화해의 제스처로 자고 있는 아내에게 비가 안 온다며 얼른 가자며 깨웠습니다만 아내는 대꾸가 없더군요.

아이들은 일어나서 저에게 다가와 이월드에서 어떤 놀이기구를 탈지 이것 저것 물어보며 재잘댔는데 저 역시 기분이 그렇게 유쾌하지는 않은 상태였 습니다. 그래서인지 아이들에게도 영혼 없는 대꾸만 해댔습니다.

10시쯤 아내는 일어나서 이월드에 갈 준비를 하더군요. 그러면서 아이들에 게 '아빠 빼고 셋이서 가자'는 말을 듣고는 저도 그만 쌓였던 화가 폭발해서 말했습니다.

"도대체 왜 그러는데?"

아내도 할 말이 쌓여 있었는지 화를 내며 말했습니다.

"오빠는 내가 왜 이렇게 화났는지 모르나?"

"어제 낚시 장비 정리 안 한 것 때문에 화가 난 거 아이가?"

"아이다. 내가 그것 때문에 화난 거 같나? 니는 내가 아이들이랑 낚시 간 게 취미 같아 보이드나? 오빠야 니가 그 상황에서 통 안에서 생선 빼고 난 뒤에 통만 좀 헹궈줬어도 내가 그런 말 했겠나?"

그 말을 들으니 제가 포인트를 잘못짚은 게 느껴졌습니다. 하지만 이미 둘 다 화가 나 있는 상태였고 저도 그 상황에서 지기 싫은 감정이 일기 시작했습니다.

"취미라고 한 거는 내가 잘못 말했다. 미안하다. 근데 나도 화가 난다. 내가 언제 내가 어떤 일을 하고 왔든 내 물건, 내 장비를 니보고 정리해 달라고 한 적 있었나?"

이러면서 저도 제 딴에는 서운했던 걸 뱉어내기 시작했습니다. 잠시 미쳤던 거죠. 아내는 잠자코 듣다가 한 마디하고는 아이들과 나가버렸습니다.

"니 혼자 잘 먹고 잘 살아라."

'쾅'하는 문 닫히는 소리와 함께 집 안은 적막으로 가득 찼습니다. 할 말은 다 해서 속은 시원했는데 아내에 대한 미안함이 슬슬 비워둔 속마음에 차기 시작하며 아이들의 서먹한 표정이 머릿속에 떠나질 않았습니다. 부부싸움은 아이들 보는 앞에서 하는 게 아니라지만 이번엔 눈앞에 뵈는 게 없었는지 아이들 보는 앞에서 그렇게 싸우게 됐으니 아이들 걱정이 되는 건 당연했나 봅니다.

얼른 내 잘못을 빌고 화해를 하기 위해 지하주차장으로 내려갔지만 아내와 아이들은 이미 대구로 떠난 뒤였습니다. 왠지... 오늘 안에 서로의 앙금을 풀어야 될 것 같은 본능적인 느낌이 들어 곧바로 기차역으로 향했습니다. 동대구로 가는 가장 빠른 열차표를 알아보고 바로 티켓을 샀습니다.

동대구로 가는 동안 저는 몽상가답게 별의별 상상을 했었는데요. 이런 일로 이혼해 버리고 늙어서까지 아이들 얼굴도 못 보고 객사하는 인생 하나를 완성했습니다.

또 다른 상상으로는 막상 이월드로 갔는데 사실 이미 이 일이 있기 전에 제가 죽어버렸기에 아내와 아이들이 나에 대한 존재도 까먹어버리는 상황도 그려봤습니다.

그리고 마지막 상상은 이월드에서 극적으로 화해하며 부둥켜안는 것이었습니다. 이런저런 상상들을 했지만 결론은 마지막 상상이 현실이 되었으면 좋겠다는 바람을 안고 동대구역에 내렸습니다.

역 밖을 나오니 제 기분과 비슷한 스산한 날씨가 뼛속에 스며들었습니다.
그래도 아내의 기분을 풀어주려는 생각 반, 놀라게 해주려는 생각 반으로
지하철을 타고 이월드로 향했습니다.


촌놈은 지하철을 탈 때마다 뭔가가 신기합니다. 스크린 도어에 정확하게
정차해서 열리는 문조차 신기합니다.

한 번 환승 후 집에서 출발한 지 2시간 만에 이월드에 도착했습니다. 혹시 모르는 가능성을 대비해 주차장에 가보니 어렵지 않게 우리 차를 발견할 수 있었습니다. 안도의 한숨을 쉬고 곧바로 표를 끊고 입장했습니다. 마음이 급했지만 표를 끊을 때 통신사 멤버십 40% 할인은 지나칠 수 없었습니다.

자, 이제 이 넓은 놀이공원에서 아내와 아이들을 찾아야 합니다. 여태껏 아
내와 아이들이 놀이공원 어디에서 시간을 많이 보냈는지 기억을 끄집어내
기 시작했습니다. 그리고 하나하나 추리를 해나갔습니다.

- 아이들은 키가 작아 놀이 기구를 타는 것에 제약이 많다.
- 셋 다 인형 뽑기를 좋아한다.
- 점심때가 조금 지난 상태라 식당 근처에 있을 것 같다.

그렇게 생각하고 나서 이월드의 식당 근처 뽑기 기계가 있는 곳 주변부터 찾기 시작했는데 시작하자마자 바로 낯익은 실루엣 셋이 동전교환기 앞에서 고개 숙이고 있는 것이 보였습니다. 저라는 존재, 약간은 단세포생물과도 같아서 이미 머릿속에 화는 풀려 있는 상태였고 곧바로 몰래 다가가 놀라게 할 생각으로 가득 찼습니다.

아내 뒤로 몰래 다가가 어깨동무를 하고 "저기요"라며 눈을 마주쳤습니다. 아내와 아이들 모두 "네가 왜 거기서 나와?"라는 표정으로 눈이 동그랗게 뜬 채 저를 바라보았습니다. 그리고 이내 상황파악이 됐는지 본인도 화가 풀렸는지 저를 와락 끌어안더군요. 혼자서 투정 부리는 아이들 때문에 힘들어서 제 생각이 나더라면서요. 그 말에 살짝 눈물이 핑 돌았지만 꾹 참았습니다.

저도 주변 시선 상관 안 하고 같이 껴안아주면서 "내가 미안하다."라고 용서를 빌었습니다. 아내와 저 이렇게 둘이서 안고 있는 줄 알았는데 어느새 아이들도 같이 안아주고 있더군요.

뭔가 마음의 긴장이 풀어지는 느낌이었습니다. 그와 동시에 배에서 '꼬르륵'소리가 요동을 쳤습니다. 오후 3시가 될 때까지 아무것도 먹지 못하고 온 터라 근처 식당에서 간단히 사 먹었고 이후로 놀이기구도 신나게 탔습니다.

해질녘, 빗방울이 거세지면서 예정보다 일찍 집에 돌아오는 차 안에서 아내와 저는 서로가 오해하고 있었던 부분에 대해 차분하게 이야기했습니다. 생각해 보면 정말 별거 아닌 걸로 싸우게 된 거고 당시에 제대로 대화만 했더라도 크게 언성을 높이는 일은 없었을텐데라며 서로에게 사과와 용서의 말을 주고받았습니다.

부부 싸움은 칼로 물 베기라고 했던가요? 순간 욱했던 제 잘못도 있었고 아내가 화가 난 상황도 심각했지만 싸운 뒤에 자신의 감정을 조금 더 솔직하고 자세하게 말할 수 있는 게 좋은 기회였다고 생각합니다.

이런 기회가 아니었다면 평생 마음에 담아두다가 전혀 생뚱맞은 상황에서 더 좋지 않은 결과를 초래할 수도 있다고 생각합니다. 그렇다 보니 이제는 서운한 마음, 화를 내야 되는 상황이 온다면 바로바로 대화로 해결해야겠다고 느꼈던 이틀간의 에피소드였습니다.

공짜 점심은 없다.

*b*

스무 살에 대학교에서 처음 만난 뒤로 제가 지금까지 연을 이어온 이 중에 친하다고 말할 수 있는 친구 몇 명이 있는데요. 그중 20대 초반에 인생에서 가장 큰 곤경을 겪은 뒤로 대오각성하여 20여 년이 지난 지금 자신의 길을 멋지게 개척해 나가고 있는, 그리고 앞으로 얼마나 더 발전할지 궁금해지는 그런 녀석이라고 확신하는 친구가 있습니다.

친구 자랑이냐고요? 맞기도 한데 오늘 말씀드릴 진짜 의도는 그게 아닙니다. 제가 인생의 바닥을 찍고 있다고 생각하며 상실감에 허우적 댈 때 이따금씩 그와 전화 통화를 하며 마음을 다잡곤 하는데요. 그가 힘든 2~30대를 보낸 것이 안쓰럽긴 하지만 어찌 보면 인생의 굴곡 중 밑바닥을 제 친구들 중에서 누구보다 먼저 경험하고 극복한 인생선배여서 안쓰러움의 이면에는 오히려 고마운 마음이 듭니다. 먼저 지나간 그의 발자국이 저에게는 길잡이 역할을 하고 있는 것이죠.

실제 경험에서 우러나는 그의 조언과 충고는 책에서 알려주는 동기부여와는 차원이 달랐습니다. 조언과 충고를 말이 아닌 본인의 인생을 통해 직접 몸으로 보여줬던 거였죠. 그는 자신이 의도하지 않은 사건에 휩싸이면서 (사적인 영역이라 자세한 이야기는 못 해 드리는 점 양해 바랍니다.) 경제적 능력을 상실하게 되었습니다. 그리고 그 충격으로 절망감에 빠져 20대의 절반 이상을 통째로 좌절과 고통 속에 살아야만 했습니다.

누구나 젊은 시절의 멘탈은 불완전하기 마련입니다. 청춘이라 불리는 이 시기는 더더욱 모래로 쌓은 성과도 같았습니다. 기껏 쌓아놓아도 누군가 밟고 지나가면 그 누군가의 발자국 깊이까지 파이게 되는 부실한 것이었죠. 하지만 그 상태는 곧, 허물어진 그 자리에서 다시 여러 모양으로도 만들 수 있다는 뜻이기도 했음을 저는 그때 왜 몰랐을까요?

그의 모래성을 누군가 짓밟고 지나갔습니다. 상실감이 컸지만 원래 깊이보다 더 깊게 파인 그 자리에 그는 산산이 부서지는 모래가 아닌 공구리를 치기 시작했습니다. 헤어 나오는데 한참이 걸리긴 했지만 그는 눈앞에 놓인 여러 문제들을 하나하나 천천히 극복해 나가면서 기초를 다지기 시작했던 것이죠.

저를 비롯한 다른 친구들이 사회초년생 딱지를 떼고 직장에 자리를 잡아가던 시기에야 비로소 직장 생활의 출발점에 선 그였지만 취업 후 그의 성장 속도는 거침이 없었습니다. 본인 말로는 운이 좋게도 첫 직장에서 좋은 멘토들을 많이 만난 것이 성장동력이라고는 하지만 자신의 성장은 그렇게 차려진 밥상을 골고루 먹는 자에게만 돌아가는 법이죠. 그는 편식 없이 골고루 먹고 성장했던 것이었습니다. 당시 늦은 시간 전화를 할 때면 늘 독서실이었습니다.

최단기간 고속승진을 이루었고 이직 후에는 큰 프로젝트를 진행시키며 그의 시선은 지금 세계를 향해 있습니다. 과거의 충격 때문인지는 몰라도 개인사업에는 전혀 생각이 없다지만 그는 그가 속한 회사의 이름으로 거대한 사업을 하고 있는 걸 모르고 있나 봅니다.

강철의 연금술사라는 애니메이션을 봤던 분이라면 '등가교환'이라는 단어를 아시겠죠? 무언가를 얻기 위해서는 다른 무언가를 내놔야 한다는 어찌 보면 경제학과도 관련이 있어 보이는 이 단어가 삶의 하루, 한 달, 1년, 10년, 나아가 인생 전체에도 통용되는 것 같이 느껴집니다.

그 친구의 20대를 지켜보고, 그리고 지금의 제 자신을 바라보니 인생의 큰 등가교환의 시기를 이제야 맞이했음을 깨달았습니다. 이것은 값비싼 인생 수업료인 셈인데요. 인생을 24시간으로 비춰볼 때 제 인생의 시간이 딱 점심 때라고 생각합니다. 아침에는 엄마가 해주시는 밥을 먹다가, 점심때 밖에 나가 온갖 몸에 좋다는 약재를 넣어만든 맛없고 비싼 음식을 사 먹은 기분이 드네요. 맛이 있든 없든 공짜 점심은 아니었습니다. 몸에 좋다고 하니 기꺼이 음식값은 지불해야 하고요.

No free lunch.


어쨌든 소화시켜서 멋진 오후의 시간을 보내고 저녁은 가족들과 함께 맛있고 행복한 식사를 할 수 있길 바랄 뿐입니다.

# 42살에 다시 시작한 직장생활

어느덧 장사를 접고 회사를 다닌 지도 벌써 5개월이 지났네요. 사업자등록을 내고 내 가게를 꾸려나가다가 규칙적인 출퇴근에 식사와 간식까지 꼬박꼬박 챙겨주는 회사에 다니니 뭔가 기분이 묘했습니다. 장단점은 확실히 보였지만 아직까지는 잘 적응해 가려 노력 중입니다.

사장님 소리를 듣다가 다시 직원으로 돌아가니 몇몇 친구들은 걱정스러운 마음에 쉽게 적응하기 힘들 텐데 괜찮냐고 하더군요. 저는 덤덤하게 괜찮다고 했습니다. 그저 이렇게 중얼거렸죠.

"아, 이것이 인생의 굴곡이구나. 다음에 올 기회를 더 잘 잡기 위해 수련을 하는 기간이다."

주변에 진짜 친구들만 남게 되어 오히려 이런 시기도 필요한가 싶기도 하네요. 오늘 하려던 이야기는 이게 아닌데 회사 일과 관련된 저의 이야기를 하려다 보니 서론이 길어졌습니다.

이런저런 일들을 겪고 나서 다시 직장생활을 하다 보니 일을 대하는 태도는 사회 초년생일 때와는 사뭇 달라져 있는 나를 발견하곤 합니다. '내 회사라 생각하고 일을 하자'는 마인드는 아니지만 '고용주가 나한테 주는 월급의 최소 3~4배의 책임감은 가지자'라고 다짐했습니다.

장사를 하면서 직원 채용을 잠깐 한 적이 있었는데 그들의 고용을 유지하기 위해서는 대략 4배의 매출 증가 퍼포먼스는 있어야 함을 몸소 체험했던 이유가 가장 컸습니다. 직원을 채용한 이후에 나가는 돈은 급여뿐만이 아니라는 사실, 이는 제가 회사에 들어갔더라도 고용주의 입장을 이해하게 된 계기가 되기도 했네요.

그래서 이게 내 회사다라는 생각은 전혀 들지 않더라도 받는 돈의 3~4배의 값어치는 하는 게 고용인과 피고용인간의 공정한 거래가 아닐까 생각합니다.

자신의 실력은 그대로지만 받는 급여에 만족하지 못해서 '회사 급여와 복지에 실망이다. 번 만큼만 일할 거다'라는 직장동료는 결국 자신만의 기술이 없다면 스스로 회사를 그만둘 수밖에 없는 사례를 숱하게 많이 봐왔기도 했습니다. 그리고 지금도 보고 있습니다.

저는 해당 분야에 지식도 기술도 없이 들어와서 모든 걸 처음부터 배우는 신세였습니다. 그래서 제가 처음 입사해서 할 수 있는 일은 잡일뿐이었는데요. 젊고 기술 좋은 사람들과 호흡을 맞추려면 조금 더 성실하게 움직이고 꾸준히 출근하며 하나씩 배워나가야 했습니다. 몰랐던 분야라 혼자서 유튜브로 강의도 듣고 말이죠.(정말 유튜브에는 그리고 구글에는 제가 찾는 모든 것들이 다 있어서 참 좋은 세상에 살고 있다고 느낍니다.)

이랬던 저에게 입사 두 달째가 되던 날 공장장님이 따로 불러서 이야기하더군요. 승진이라고, 급여도 오를 거라고요... 저는 덤덤했습니다. 나이 40 넘어서 직책이나 야망 따위는 맘 속에 사라진 지는 오래였지만 그와는 별개로 저 스스로 열심히 회사일을 했다고 자부는 했기에 그렇게 빨리 승진은 될 거라 대충 짐작은 했기 때문이었죠.

지금은 하루하루 여느 직장인과 다름없이 출근을 하고 열심히 일을 하고 지친 몸을 이끌고 퇴근을 합니다. 대신 스트레스는 많이 줄었습니다. 머리카락이 풍성해진 것만 봐도 알겠더라고요.

앞으로의 목표를 설정하지도 않았습니다. 아쉽게도 더 이상 목표를 가지고 움직일 만큼 제 가슴은 뜨겁지가 않더라고요. 아이들의 재롱도 봐야 하고 마누라의 방귀소리도 들어주고 놀려야 합니다. 한 번 쓰러진 적이 있으니까 그냥 오늘 하루가 소중하고 중요함을 느꼈습니다. 직장 생활을 계속할 수도, 언젠가 장사를 다시 시작할 수도 있지만 이제는 하루하루 열심히 사는 인생의 흐름에 몸을 맡기고 흘러가보려 합니다.

# 게으름 피우기

*b*

최근 일주일 동안 몸살과 기관지염으로 고생을 좀 해서 몸에 기운도 많이 빠지고 아무 의욕도 없는 하루하루를 보냈습니다. 그러다 보니 자연스럽게 게을러지더군요.

퇴근 후 집에 와서는 공부하는 아이들 옆에 달라붙어서 책을 읽거나 글을 쓰는 게 일상이었는데 이번 주에는 그냥 씻자마자 소파와 한 몸이 되어버렸습니다. 그리고 손은 TV리모컨을 쥐고 있었네요.

한동안 TV와는 담을 쌓고 지내다 보니 엄청난 양의 컨텐츠들이 화면 속에서 어지럽게 쌓여있었습니다. 마치 수산 시장 아지매들처럼 자신의 가게로 오라고 호객행위를 하는 것처럼 보였습니다. 저는 저도 모르게 아지매들 손에 이끌려 가게로 빨려 들어가듯 컨텐츠들을 클릭했습니다.

가만히 소파에 누워서 최근에 시작한 드라마를 넷플릭스로 정주행 해보니 아내가 왜 드라마에 빠져있는지 알 것 같았습니다. 잘 생기고 예쁜 배우들이 나와서 열연을 펼치고 사람들의 판타지를 자극하는데 어찌 안 빠질 수 있겠습니까?

저의 머릿속을 어지럽히고 있던 것에서 벗어나 한동안 게으르게 지내다 보니 몸은 어느새 활력을 되찾았습니다. 드라마도 재미있게 보고 잠도 많이 잤습니다.

잠시나마 피웠던 게으름 덕분에 몸과 마음이 회복이 되다니 부지런해야 한다는 인생의 신념이 약간 부정당한 느낌이라 당황스러웠습니다. 그나마 나이가 드니 게으름이 지속되지는 않았습니다.

사실, 늦잠을 자고 싶어도 8시간 넘게 자면 허리가 아파 더 이상 잘 수가 없습니다. 누워서 TV를 보는 것도 마찬가지입니다. 게으름도 젊고 체력이 좋아야 피울 수 있는 특권이었나 봅니다.

대신 게으름뱅이가 아닌 적당히 게으름을 피울 수 있는 몸이 된 덕분에 이제 몸과 마음이 지치거나 아플 때는 맘 편하게 게으름을 피워볼까 합니다. 내향인 재질인 저로서는 사람들과의 관계 사이에서 에너지를 얻기보다는 이렇게 혼자만의 시간을 가지면서 약간의 게으름으로 에너지를 얻는 타입인가 봅니다. 올바른 방법인지 아닌지는 제가 학자가 아니라 모르겠지만 심신을 재충전하는 용도로 말이죠.

이제는 아프면 눕고 힘들 땐 쉬어가는 삶을 살렵니다.

# 천국과 지옥

천국과 지옥에 대한 재미난 이야기 하나가 있습니다.

신이라 불리는 존재가 죽음을 앞둔 어떤 이에게 천국과 지옥의 모습을 보여주겠다며 먼저 지옥으로 데리고 갑니다. 그는 지옥이 온갖 고통으로 가득한 불구덩이라고 여겼지만 그곳은 세상 맛있는 음식들이 모두 모여있는 곳이었습니다. 그런데 특이하게도 숟가락이 아주 깁니다. 사람들은 그 기다란 숟가락으로 음식을 먹기 위해 자신의 입으로 가져가려 아등바등거렸지만 소용이 없습니다.

신은 다음으로 천국에 데리고 갔습니다. 그런데 지옥과 똑같은 장소네요. 숟가락 역시 한 치의 오차도 없이 똑같은 길이입니다. 여기가 왜 천국일까요? 사람들은 그 기다란 숟가락으로 서로 떠먹여 주고 있었습니다.

(이 이야기에서 음식을 손으로 집어 먹으면 되지 않나? 라는 원초적인 생각도 해봤습니다.)

다들 아시는 이야기일 겁니다. 저는 이 이야기가 자신의 행동이 어떠냐에 따라 이 세상은 천국이 될 수도 지옥이 될 수도 있다는 이야기로 받아들여졌습니다. 천국이니 지옥이니 하는 것들의 존재를 딱히 믿는 것은 아니라서 '천국'을 '행복'으로, '지옥'을 '불행'으로 단어를 바꿔보니 좀 더 이해가

쉬웠습니다.

누군가는 지금 우리가 사는 이 시대가 단군이래 가장 살기 좋은 시대라고 말하며 또 다른 누군가는 헬조선이라 말합니다. 과연 누구의 말이 옳은 걸까요? 사실, 옳은지 그른지는 객관적일 수가 없죠. 자신이 처한 상황을 어떻게 받아들이냐에 따라 행복할 수도 있고 반대로 불행해질 수도 있으니까요.

그래서 저는 지금 천국에 살고 있다고 생각해 봅니다.

갚을 빚이 많다고?
그렇다면 그것은 경제 활동을 꾸준히 할 수 있도록 하는 삶의 원동력이다.

많은 일 때문에 몸이 피곤하다고?
아직 나는 쓸만한 놈이다. 고된 일은 불면증 치료제다. 고독할 틈을 주지 않는다.

시간이 너무 빨리 간다고?
어딘가에 몰두를 하고 있다는 증거다.

내 아이들이 자꾸 나한테 장난치고 책도 못 읽게 한다고?
아이들이 나에게 말을 걸고 장난을 친다는 건 나와 이야기하고 싶어 하고
사랑한다는 뜻이다.

아내가 잔소리를 한다고?
사랑하지 않으면 관심조차 가지 않는다. 잔소리는 사랑의 다른 표현이다.

이런 것들이 누군가에게는 정신승리로 보일지도 모릅니다. 저에게 주어진
환경은 그다지 잘날 것도 없고 어찌 보면 고난의 연속일 수도 있는 인생입
니다. 하지만 가족부터 빚, 삶에 대한 태도와 생각을 바꿔보니 세상은 생각
보다 살만한 가치가 많은 것이 보이더군요.

어찌 보면 주변 사람들에 비해 참 보잘것없는 몸뚱이지만 사지 멀쩡한 것
자체가 감사한 일이었습니다. 손가락 열 개가 고스란히 붙어있어 이렇게
글을 쓸 수 있다는 작은 사실조차 감사하게 되었네요. 통풍이 안 되는 작업
환경 때문에 무좀으로 고생하는 발이지만 하루에 몇 킬로미터는 거뜬히 걸
을 수 있는 것도 감사할 일이고요.

힘들어도 내 옆에 있어주고 지켜봐 주는 가족과 친구들에게 감사합니다.

이 글을 읽고 계신 분들도요. 그냥 다... 감사합니다.

모두들 각자의 눈앞에 보이는 천국을 놓치지 마세요.

더 이상 치즈버거로는
해장이 힘든 나이

저는 얼마 전까지만 해도 술을 마신 뒤의 해장은 치즈버거 아니면 치즈피자로 했었습니다. 어떤 음식이 해장이 잘 되는지 모르던 시절부터 들인 버릇이었는데요. 이제는 더 이상 치즈버거로는 해장이 되지 않더군요. 국물이 필요한 나이가 된 것일까요?

가끔 아버지 혹은 장인어른과 식사를 할 때면 그분들은 국물이 있어야 식사를 하시는데 놀랄만한 사실은 젊은 시절에는 국물이 들어간 음식은 아예 드시지 않으셨다는 점입니다. 나이가 들면 국물 있는 음식이 당길 수밖에 없는 이유가 뭘까 생각해 보니 단순하게 소화력 때문이지 않을까 혼자서 결론을 내버렸습니다. 이미 제가 그걸 겪고 있기 때문이죠.

5-6년 전부터는 술 마시는 빈도와 양을 줄여나가고 있었는데요. 해장력마저 현저히 떨어진 지금, 가족 행사나 장모님께서 모처럼 술 마시자고 하는 어쩔 수 없는 상황 아니면 술은 잘 마시지 않게 되었습니다. 설령 먹게 되더라도 다음날 국물 있는 음식을 챙겨 먹게 됐고요. 이젠 뼈다귀 해장국이나 시래기국, 콩나물국이 치즈버거 자리를 대신하게 됐습니다.

얼마 전에는 대학 동창들과 남해에서 1박 2일로 가족들끼리 모여 재미나게 놀고 밤에는 술도 마셨습니다. 모처럼 과음을 했었는데요. 아내와 아이들과 함께 집으로 돌아오는 길에 해장차 들렀던 곳은 맥도날드가 아닌 국도변 휴게소에 위치한 소머리 국밥집이었습니다.

나이가 들면 몸도 바뀌고 몸이 바뀌는 만큼 먹는 취향도 바뀌게 되나 봅니다. 어릴 때는 매일 치즈 버거를 먹을 수 있다고 자부했는데 이제는 국물이 있어야 밥이 넘어가니 말입니다.

'나는 원래 이런 스타일이야', '너는 원래부터 이랬잖아!'라는 고정관념이 얼마나 의미 없는 말인지 느꼈습니다. 사람들은 모두 변하고 나 역시 사람인지라 변하죠. 노래 가사에도 있는 내용입니다.

몸과 마음은 세월이 지나면 자연스럽게 바뀌는 것이기에 치즈버거에서 해장국으로 바뀐 저의 해장 스타일만큼 세상을 바라보는 태도도 아집을 버리고 조금 더 유연하게 가져봐야겠습니다. 내가 가진 고정관념이 불변이라는 편견대신 지금 내 몸과 마음에 맞는 삶의 방식을 택하는 것으로요.

껍질을 깨고 나오는 병아리

*b*

올해 들어 저는 참 많이도 다치고 병들었습니다. 욕실에서 갑자기 쓰러져서 바닥에 부딪혀 코가 깨졌었고요. 기계를 만지다가 손가락을 다쳤습니다. 까딱 잘못됐다면 손가락이 날아갈 뻔한 아찔한 사고였습니다. 몸살을 자주 앓았고 면역력이 떨어져서인지 다래끼도 오래갔습니다.

가족이나 친구들은 저보고 올해가 삼재냐며 몸 관리를 잘하라고 조언을 하더군요. 아내는 몸이 많이 약해진 저를 보며 혼자 속으로 끙끙 앓기도 했던 것 같습니다. 저는 친한 친구들에게 저한테 붙은 불운이 너네들한테 옮을 수도 있다며 당분간 조용히 찌그러져 지내겠다고 말하기도 했습니다.

세상 모든 불운의 화살이 저에게로 날아와서 명중이 되는 느낌이었습니다. 아픈 날이 많다 보니 당연히 어떤 행동이라도 하기가 싫어지는 날이 많았습니다. 역시 건강한 신체에 건전한 정신이 깃든다는 말은 틀린 말이 아니었네요.

얼마 전까지 주말에는 하루종일 침대 위에 누워만 있고 싶었습니다. 이것참... 몸이 아프다는 것이 유튜브를 보는 거나 SNS를 하는 것 같은 도파민을 자극하는 행위도 용납하지 않을 만큼 제 몸을 꽁꽁 묶어둘 줄은 생각 못 했었는데요. 이러다가는 정말 몸과 마음 모두 저 깊은 바닥으로 떨어질 것만 같더라고요.

그러던 어느 주말 아침이었습니다. 역시나 일요일 아침은 화창했고 아무것도 하기 싫은 날이었는데요. 아들 녀석이 누워 있는 제 품속으로 들어와서 속삭였습니다.

"아빠, 농구하러 가요."

음, 뭐랄까. 그 순간 아들 녀석이랑 같이 농구하러 안 나가면 평생 후회가 될 것 같은 느낌이 들더군요. 군소리 없이 무거운 몸을 이끌고 농구공을 챙겨 들고 아들 손을 잡고 집 근처 학교로 천천히 걸어갔습니다.

이른 아침이라 농구코트에는 저희 둘 밖에 없었습니다. 아홉 살 먹은 아들 녀석은 손에 힘이 없어서 슛보다는 드리블과 패스 위주로 알려줬고 저는 모처럼 짧은 팔과 다리를 이용해 슛 연습을 했습니다.

제가 하는 모습이 재미있어 보였는지 아들 녀석도 슛을 하고 싶다고 조르더군요. 골 맛이라도 보게 해주고 싶어서 정석적인 폼보다는 두 손으로 던지는 방법을 알려줬습니다.

한 번, 두 번, 세 번... 몇 번을 던져도 공은 골대 근처까지 닿을 기미가 안보였습니다. 이 녀석, 차라리 1년 뒤에 조금이라도 더 커서 농구하는 게 좋겠다고 생각을 했습니다.

그런데 점점 아들이 던진 공이 골대 근처까지 가는 게 아닙니까? 뭔가 저도 이 날 아들 녀석의 첫 골을 성공시켜주고 싶은 마음이 들기 시작했습니다. 슬램덩크에서 강백호가 처음 자유투를 던질 때의 그 자세로 몇 번이고 시도하는 아들에게 할 수 있다고 조금만 더 뻗으면 골인할 거 같다고 파이팅을 불어넣어 줬습니다. 결과는?

첫 골 성공!!

정말 사소하다고 생각할 수 있겠지만 아들 녀석이 스스로 공을 던져서 골을 넣은 사실이 너무나 기쁜 나머지 끌어안고 뽀뽀하고 하이파이브도 했습니다.

그리고 그날 오후, 저는 예전에 잠시 읽었다가 의욕을 잃어버린 뒤로 덮어버렸던 책들을 다시 꺼내서 읽기 시작했습니다. 그리고 글도 쓰기 시작했습니다. 블로그, 메모장 어디든 쓰고 싶은 게 있다면 써 내려갔습니다.

달걀 껍데기 속 작은 병아리가 스스로 껍질을 깨고 나오는 모습을 아들의 모습에서 보게 됐으니 저 역시 알 수 없는 감동을 받았나 봅니다.

지금 몸이 아프고 정신적으로 힘든 것들이 다 나를 둘러싼 알껍질을 깨는 과정이라고 생각하니 용기가 조금 생기더군요. 불혹을 넘긴 중년의 나를 병아리에 비유하자니 우습긴 하지만 아직 다 성장한 모습을 보여주지는 않았으니 애송이가 맞긴 하죠.

'내 나이에는 이래야 한다'는 굴레에서 벗어나서 지금부터라도 조금 더 단단하게 마음을 키워나가고 싶어졌네요. 슛을 성공한 아들 녀석의 가르침에 고맙다고 전해야겠습니다.

# 인생이 시험이라면

얼마 전 화장실에 가만히 앉아서 생각에 잠겼는데 불현듯 인생을 학창 시절 시험과 비교해 본 적이 있었습니다.

우리는 학교에 들어가면 피할 수 없는 것이 바로 시험입니다. 중간고사가 있고 기말고사가 있습니다. 중간에 쪽지시험도 있었네요. 그동안 배운 것들을 얼마나 이해하고 있는지 정해진 기간, 정해진 시간 내에 자신만의 방식으로 풀어나가야 하는 것이죠. 그리고 그 결과로 줄을 세웁니다.

아이들은 누군가에 의해 자신을 위한 공부가 아닌 시험을 위한 공부를 강요받습니다. '이래서 백점 받을 수 있겠어?'라는 말은 제가 어렸을 때도 많이 들었던 말입니다. 게다가 모의고사 같은 '시험을 위한 시험'도 존재하네요.

각설하고, 시험을 치르는 동안 주변 친구들은 제각각의 시험 스타일을 보입니다. 제가 봐왔던 친구들의 시험을 대하는 방식은 다음과 같습니다.

1. 애초에 공부에 재능을 보이는 친구입니다. 시험을 다 치고 나서 실수로 하나 틀렸다고 울상을 짓는 건 덤입니다.

2. 문제를 굉장히 빨리 푸는 친구입니다. 40~50분 동안 주어지는 시험시간인데 15분 안에 다 풀어버리고 엎드려 자는 친구가 있었네요.

3. 시험지를 받자마자 원하는 패턴으로 번호를 찍고 바로 잠들어버리는 친구도 있습니다. 가장 흔히 볼 수 있는 건 운동부 출신입니다.

4. 종료 시간이 다 돼가는데도 다 풀지 못해 전전긍긍하는 친구도 있습니다. 처음 몇 문제에서 시간을 너무 많이 잡아먹은 탓이겠죠. 맨 뒤에 있던 친구가 시험지를 걷어가는 상황에서도 펜을 놓지 않습니다.

5. 다양한 방법으로 커닝을 하는 친구도 빼먹을 수 없습니다. 열심히 준비해서 시험을 치르는 입장에서 굉장히 얄미운 부류입니다.

6. 가슴 아픈 친구가 있습니다. 죽자 살자 공부에 매달리고 쉬는 시간에도 책을 손에 놓지 않으며 선생님이 말씀하시는 걸 토시하나 한 빼고 받아 적는데 정작 시험 결과는 좋지 않은 친구입니다.

이렇듯 다양한 방식으로 시험을 치르고 각자의 행동의 결과대로 점수를 얻게 되는데요. 꼭 그런 건 아닙니다만 어린 시절 각자의 시험스타일이, 어른이 되고 사회에 나와서 인생을 살아가는 태도와도 비슷함을 느끼게 됩니다.

꼼수 쓰는 걸 자랑스럽게 떠벌리는 친구는 과거에 커닝을 밥 먹듯이 했었고 공부 잘하는 친구는... 그냥 지금도 잘 나갑니다.

저는 평소 아무리 열심히 공부해도 성적이 잘 안 나오던 친구의 근황이 가장 궁금했습니다. 현재 금융기관에 다니고 있더군요. 당시 수능 성적도 대충 알고 있습니다. 평소보다 100점 넘게 나온 것을요.

그 친구는 공부를 못한 게 아니었습니다. 시험 성적에 연연하지 않고 자신만의 페이스대로 수능을 대비해 나갔던 것이죠. 엄청난 J 커브 곡선을 몸소 보여준 친구였습니다.

시험이라는 존재 여부의 찬반을 떠나서 인생을 대하는 자세와 시험을 대하는 자세와도 많은 유사점이 있었네요.

또한 지금 성적이 좋지 않더라도 결국 수능에서 빛을 본 친구처럼 인생에 대한 결과도 지금 상태에 비춰 쉽게 예상해서는 안 되겠다는 것도 느꼈습니다.

만약 인생이 시험이라면 저는 이제 어떻게 살아가야 할까요? 정답은 모르겠습니다만 저는 제 나름대로 지금까지의 경험을 토대로 해답을 찾아가 봐야겠습니다.

# 쇠사슬이 발에 채워진 코끼리

*b*

어린 코끼리가 사육사에 의해 발에 굵은 쇠사슬이 채워져 나무에 묶여 있습니다. 이 어린 친구는 쇠사슬을 풀어보려 애쓰지만 번번이 실패하고 말지요.

시간이 흘러, 코끼리는 성체가 되었고 굵은 쇠사슬을 단번에 끊을만한 힘을 지니게 되었습니다. 하지만 코끼리는 더 이상 쇠사슬을 풀려고 하지 않네요. 과거의 경험 때문에 쇠사슬을 풀 수 없다고 생각했나 봅니다.

저의 초등학생 시절 장래 희망은 대통령이었습니다. 그 누구도 비웃지 않았습니다. 저의 장래 희망을 들은 친구 모두 그 이상의 원대한 꿈을 간직하고 있었기 때문입니다.

중학교에 올라가자마자 대통령이 되고 싶은 꿈은 솜사탕이 입안에서 녹듯 사라지고 말았습니다. 나는 대통령이 될 것이라는 말을 꺼내면 놀림을 받게 되었고 선생님조차도 좀 더 현실적인 장래 희망을 적어내라고 다그쳤죠. 그래서 저는 과학자를 적어냈습니다.

고등학교에 올라가니 친구들은 저마다의 꿈을 더 이상 이야기 하지 않았습니다. 자신의 성적에 맞춰 갈 수 있는 대학교가 어디인지가 가장 중요한 관심사였습니다.

살아보니 이 점이 가장 후회로 남게 되더군요. 분명 어릴 땐 생생하게 꿈꿨던 나의 미래가, 쇠사슬이 박혀 있는 나무기둥과 몇 미터 되지 않는 거리에 이어진 새끼 코끼리의 발처럼 제한장치가 생겨버렸더군요. 그마저도 제자리를 맴돌다 보니 나이를 먹을수록 점점 그 거리는 짧아졌고요.

무엇이든 할 수 있는 나이에서 하면 안 되는 게 많아진 삶을 지나 보니 제스스로 제 능력의 한계를 짓지는 않았나 생각해 봅니다.

20대에는 10대 때 조금만 더 공부를 열심히 해서 좋은 대학을 갈걸.
30대에는 20대 때 조금만 더 공부를 열심히 해서 좋은 직장에 갈걸.
40대에는 30대 때 조금만 더 공부를 열심히 해서 재테크를 할걸.
50대에는 40대 때...
60대에는 50대 때...

이러다가 죽기 직전에는 그전 날에 뭘 하지 못한 걸 후회하고 죽을 것 같더군요.

옛날에 한 TV프로그램에서 80대 할머니께서 하신 인터뷰가 생각나네요.

과거로 돌아가고 싶다면 언제로 돌아가고 싶냐고. 그때 할머니는 40대라고 말씀하시더군요. 그 때라면 뭐라도 했을 것 같다면서요.

저는 지금 할머니께서 돌아가고 싶고 무엇이든 할 수 있다고 하셨던 그 40대를 지나가고 있는 중인데요. 인생의 바닥을 제대로 찍었고 아무런 희망도 없이 절망감을 맛보는 중에 이런 이야기를 접하게 되었습니다.

모든 걸 내려놓고 걍생살기로 마음먹었는데 이 '걍생살기'가 그냥 살아나가자는 의미에서 벗어나야겠다는 마음이 들었습니다. 누군가에게는 뭐라도 용기 있게 할 수 있을 것 같은 시기를 그냥 지나치는 건 쇠사슬을 못 끊고 성체가 돼버린 코끼리와 다르게 뭐가 있을까요?

앞서 언급한 그 코끼리는 아마도 관람객의 즐거움을 위해 사로잡힌 불쌍한 코끼리였을 겁니다. 타인을 위한 삶이 아닌 진정한 내 삶을 위해서는 이제 발에 묶인 이 사슬을 끊고 저 천막을 벗어나는 용기가 필요합니다. 딱 그만큼의 용기만 가지면 될 것 같습니다.

천막 밖에는 코끼리의 얼굴에 따뜻한 햇빛을 내리쬘 수도 있고 천둥번개가 치며 비를 뿌릴 수도 있겠죠. 햇빛이면 더할 나위 없이 좋겠지만 세찬 비라도 상관없습니다. 발에 묶인 쇠사슬은 이미 끊어져있고 어디든 갈 수 있습니다. 그리고 아무리 세차게 내리는 비라도 언젠가는 그치게 되어있으니까요.

마치며

─────

이것으로 저의 갱생살기는 마무리를 해야 할 것 같습니다. 별거 없는 인생 이야기지만 앞으로 남은 제 삶의 과정을 저 스스로 이해하기 위한 자료로 남기기에는 그럭저럭 쓸만하지 않나 생각하게 됩니다.

부끄럽지만 앞으로도 저는 저의 실패를 계속 다룰 예정입니다. 스스로가 겪은 실패 앞에 당당히 맞서야만 할 것 같은 알 수 없는 느낌에 계속 이끌리고 있거든요.

이젠 실패도 소중한 인생의 자산이라는 걸 아이들에게 알려주기 위해 기회가 된다면 '아빠의 인생 오답노트'라는 이름으로 훗날의 설레는 만남을 준비하고 싶습니다.

지금까지 '개띠 아재의 갱생살기'를 읽어 주셔서 감사합니다.